# ホスピタリティを磨く20のレッスン

今泉景子

# 目次

## 第2章 ホスピタリティを磨く20のレッスン

## 第3章　未来の皆さんへ

## 第4章 ホスピタリティの先にあるもの



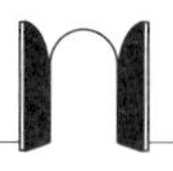

# はじめに

皆さん、はじめまして。名古屋外国語大学の今泉景子です。私は大学卒業後、国際線のグランドスタッフ（空港地上係員）として空港のチェックイン（搭乗手続き）カウンターや搭乗ゲートなどで接客を経験したのち、採用や教育、広報の仕事をしておりました。その経験をもとに、現在は大学で教員としてホスピタリティやエアライン関係の授業を担当しています。

グランドスタッフとしてお客さまや仲間と接し、時間を過ごす中で、多くのことを学ぶことができました。最初はただただお客さまと接することが楽しかったのですが、同時に難しさも感じるようになり、時にはやる気を失ったこともあります。なぜ、自分がその仕事についたのか悩んだ時期もありました。

世の中にはエアラインや一流ホテルでの勤務経験をもとにしたホスピタリティ、サービスについて書かれた本が沢山あります。私もグランドスタッフだった時は、それらの本を手に取り、自分の接客での悩みの解決方法を求め、サービスマインドに磨きをかける努力をしました。一流のサービスパーソンになりたい、でも本に書いてあるようなことは当時の私には「非日常的」で、自分に置き換えて理解することが難しく感じることがありました。実際に現場で起きていたことは、もっともっと「日常」のことだったからです。

今回このホスピタリティの教科書を執筆するにあたり、どのような教科書なら読みたいかを学生の皆さんから聞きました。読むだけに終わらない考え方やマインドを学べるもの、日常に活かせる内容、すぐに実践したいと思わせてくれるもの、体験談をもとにホスピタリティについて具体的に書いてあるものに魅力を感じるようでした。またグランドスタッフの体験談については、私自身が失敗したことや頭を悩ませたりしたことをどのように乗り越えてきて、ホスピタリティを磨いてきたのかなどを特に知りたいとのことでした。

　大学でのホスピタリティの授業でも内容に絡めて私自身の具体的な体験を多く話すようにしてきました。うまくいったことも、いかなかったことも含めて伝えることで、学生の皆さんは自分自身に置き換えて理解ができ、それらを例えば実際にアルバイトなどで実践してみることで自ら学び取っていくようになってきたと感じます。

　そんな学生の皆さんの声をもとに、本書は私自身がグランドスタッフの時に受けた教育や仲間から学んだことはもちろん、体験談を紹介しながらホスピタリティを伝える、いわゆるハウツー本ではなく、どうあるべきかの心にフォーカスし、感性を鍛え、心を育てていくことを目的としたものにしています。私はすべての人には既にホスピタリティマインドがあると信じています。その磨き方を本書を通してお伝えしていきたいのです。

　第一章では、ホスピタリティ、マナーに関する基本的な内容について説明をします。第二章は第一章の内容をより実生活に活かせるように20の「レッスン」を設定していますので、ご自身の環境に置き換えて読んでくだされば幸いです。第三章ではコロナ禍を経て、サービスの形式や考え方が大きく変わりつつある今後のホスピタリティ、マナーについて考えていきます。未来を担う、若い学生の皆さんと日頃多く接する環境におりますので、そこで私自身が感じていることも共有していきたいです。また第四章は私自身のグランドスタッフ業務のサービス体験を紹介していきます。グランドスタッフはもちろん、サービス業の楽しさなどホスピタリティマインドを磨いた先に広がる世界を皆さんに紹介します。

第一章は説明が中心になりますので、より実践的な内容を中心に学びたい方は第二章から読まれてもよいと思います。また、第二章にはフォローアップレッスンも準備しています。皆さんそれぞれの考えや感じたことを本書に書きこみながら、オリジナルのレッスン本として下さいね。

本書の内容は、これからホスピタリティを学ぼうとする学生の皆さん、サービス業界などでこれから仕事を始める方、いわゆるサービス業初心者の方へ向けたものにしています。楽しみながら学べるよう、普段の授業で使っている口調に近いものにしています。ホスピタリティの授業を受けているような気持ちで、それぞれの立場に置き換えて学んでくださるとうれしいです。

# 第1章

# ホスピタリティの基本

「ホスピタリティとは何でしょうか?」世の中には多くのホスピタリティやマナーに関する本や情報があり、一つの決まったものがあるのではなく人それぞれ考えがあります。ここからは私のこれまでの体験や学びで得たことを軸にして基本的な用語の定義や意味について伝えていますが、決して押しつけるつもりはありません。私がこれからお伝えすることをベースに皆さんなりの考えや軸を見つけてくださることを望んでいます。

## ホスピタリティとは?

ホスピタリティはラテン語の「hospes」が語源で「主催者・来客・外国人・異人」などの意味があります。「hospitality」の直接のもととなるものは、形容詞形「hospitalis」(ラテン語)の「歓待する、手厚い、客を保護する」であり、そこから「Hospital」(病院)や「Hotel」(ホテル)「Host」「Hostess」(主人、女主人)などの言葉が生まれました。*1

ホスピタリティというと、皆さんは何をイメージされますか? 授業で学生の皆さんに尋ねると、「思いやり」「相手の立場になって物事を考えること」「サービス業」「接客」などがイメージとしてあがってくることが多いです。ホスピタリティはサービス業のみならず、日常生活の中の身近なところにあります。

まずは関係性をみていきましょう。例えば、たまたま通りかかった道に立っていた警備員さんが笑顔で挨拶をしてくれた、アルバイトをしているときにお

*1　服部勝人『ホスピタリティ・マネジメント入門　第二版』丸善出版より。

客さまがありがとうと言ってくださったなど、心があたたまる瞬間は誰もが経験していると思います。それが仕事であるかどうかは関係なく、その立場を超えてお互いが一人の人として向き合った時にそのようなあたたかい気持ちになると思います。つまり、ホスピタリティの関係性においてはお互いが「対等」です。年齢や性別、職業、立場など関係なく、お互いを尊敬し合うということです。年齢が上だからといって、偉そうな態度を取り、役職が上がったら部下に挨拶をしなくてもよいかというとそうではありません。

例えば通勤でバスを利用されている時、ドライバーさんが「ご利用ありがとうございます。いってらっしゃいませ」と声をかけてくださる時があります。ホスピタリティの観点からするとドライバーさんと乗客は対等ですから、乗客の立場で運賃を支払っていても、ドライバーさんとは人として向き合い、お礼を伝えることが大切ですね。お金を支払っているから立場が上ということではないのです。どのような立場であってもホスピタリティの関係性においては人として「対等」です。

ここからは私の経験をベースにしたホスピタリティの考え方をお伝えします。まずは人との向き合い方についてです。相手を「他人」と「自分」のように切り離して考えるのではなく、相手のことも自分のことだと思い大切にすることがスタートと考えています。それは具体的には「相手の立場になって考え、感じてみること」になるでしょう。

例えば、自分のことを後回しにされたり、いい加減にあつかわれることがあ

ホスピタリティの関係性

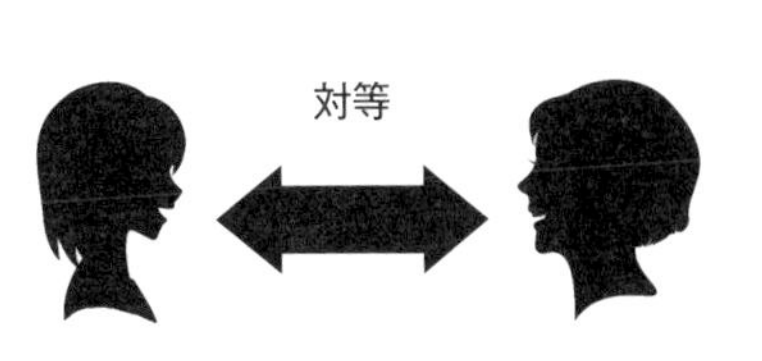


★立場、職業、年齢、性別など関係なく
対等の関係性

れば大切にされていないと感じてしまいませんか? 相手が皆さんのことを優先して、早く丁寧に対応してくれることによって、自分のことを大切にされていると感じると思うのです。つまり相手を大切にすることは、相手を優先するということになると考えています。

例えば優先席、優先案内、先行案内、レディファーストなどもそうです。また都合を相手に合わせることや時間の使い方も同様のことがいえます。レストランの場合は、お客さまの都合よりもお店の都合を優先している場合はあまりいい印象を持ちませんね。お客さまのことを優先し、融通を利かせた対応をしてくれるお店にお客さまは大切にされているとホスピタリティを感じるものです。私はこれを具体的に「相手が一番、自分が二番」ととらえ、ホスピタリティの軸としています。ただ、相手を一番にすればいいということではなく、そのような行動をしたくなり、そうすることが自分もうれしいという気持ちになれるまで、相手を大切に思う気持ちを持つことがホスピタリティと考えます。これがより深まっていけば「愛」に行きつくと考えています。

そして私自身が人と接する時に軸にしていることが「黄金律」です。「黄金律」とは、「自分がしてほしいことを人にする。されていやなことはしない」という考え方です。ルカによる福音書の中の「人にしてもらいたいと思うことを、人にもしなさい」[*2]や「己の欲せざる所を人に施すこと勿かれ」[*3]と論語にもあるように、この考えは聖書や儒教の教えに帰せられているものとして、道徳の基礎となるものです。自分が人に対してどのような行為行動をしたらよいか迷っ

＊2 『ルカによる福音書』六章三十一節。引用文は『新共同訳聖書』に基づく。

＊3 『論語』衛霊公篇二十四節。引用文は『世界の名著三　孔子・孟子』に基づく。

ホスピタリティの考え方

**愛（相手を大切に思う気持ち）**

「相手が一番、自分が二番」

**黄金律**

「自分がしてほしいことを人にする。されていやなことはしない」

たときに一つの指針となります。挨拶をしてほしいと思ったら、相手に求める前に自分がする、何か人にいやなことを言われていやな思いをしたのであれば、自分はしないということです。人間は気をつけないと、人にされていやなことを相手に仕返ししようとしてしまうものです。そうではなく、いやなことはしないと決めれば、人間関係もよりスムーズにいくのではないでしょうか。ただこれは必要条件であって、十分条件ではありません。個人的な好みや考え方が違ってくるのは当然ですし、宗教的、文化的なことが絡んでくればなおさらで一概にはいえません。例えば自分が食べたいと思っているものが必ずしも人も同じように食べたいとは限らず、健康や宗教上の理由で食べられない人もいるということです。あくまでも「黄金律」は大きくとらえて、自分が相手に対してどのような行為行動をしたらよいかと考える時の指針としていきましょう。

私はホスピタリティの考え方として、相手を大切に思う気持ち「相手が一番、自分が二番」、黄金律「自分がしてほしいことを人にする。されていやなことはしない」を軸としています。「相手の立場になって考え、感じてみること」からスタートすると、少しずつホスピタリティの考え方が分かってくると思いますよ。

## サービスとは?

ホスピタリティは日常の身近なところにあり、いわば人との向きあい方の基本ということが分かったと思います。よく比較されるものにサービスがありますが、サービスとはどのようなものでしょうか？　サービスでは物を購入する、レストランで食事をとる、飛行機を利用するなど、「お金」の支払いが発生します。つまりサービスは有償のものです。お金を支払った側はそれに見合う価値のあるサービスを受ける権利が発生しますし、サービスする側はサービスを提供する「義務」が生じるということです。ここで整理しておきたいのは、サービスをするときは、お金のためと割り切るのではなく、サービスをする側、される側、どちらの立場になっても常にホスピタリティの関係性や考え方をベースにすることで心あたたまる、よりよいものになるということです。

またサービスには、ヒューマンウェア、ハードウェア、ソフトウェアという三つの形があります。

ヒューマンウェアは人的な働きによってされるもので、さまざまな心遣いはもちろん、身だしなみ、挨拶、表情、笑顔、言葉遣い、立ち居振る舞いなどです。ハードウェアは例えばエアラインの場合は航空機機材や座席シート、ホテルの場合は建物施設、家具や調度品にあたります。ソフトウェアはエアラインの場合は機内食、機内エンターテイメント（映画や音楽など）やスムーズなチェックインといえます。ホテルの場合はアーリーチェックイン、レイトチェックアウト、ルームサービスなどがあげられます。サービスというと、ヒューマンサービスのみを思い浮かべる人が多いですが、実はこのような三つの形があるのです。

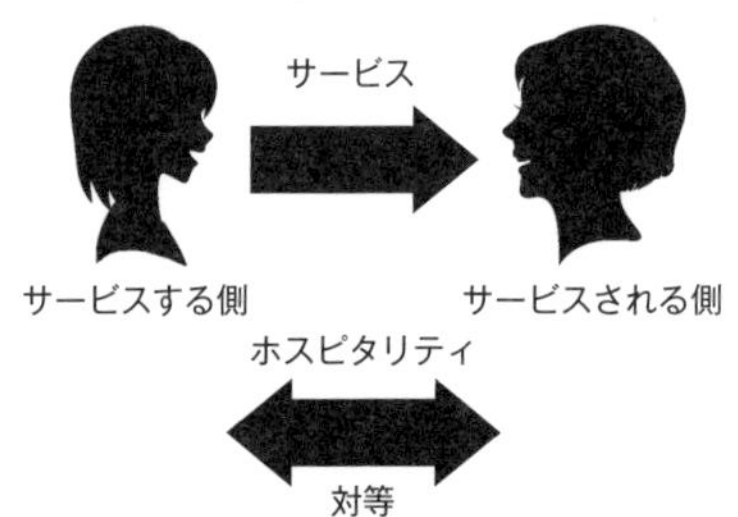


★サービスをするときも、常にホスピタリティをベースにする

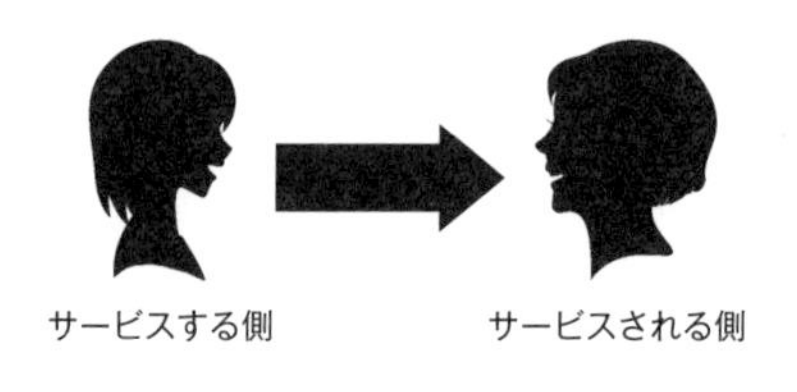


★有償であるがゆえ、対等ではない関係

すばらしいサービスは、この三つのクオリティ（質）が高く、バランスが取れているということですね。例えば、新しくオープンしたお店の場合、ハードウェアのクオリティは高いですが、料理が出てくるのに時間がかかったり、接客スタッフの対応が頼りなかったりすることはよくありますよね。さまざまなサービスの現場に足を運び、そのサービスを三つの視点から分析してみるのも勉強になりますよ。

サービスには三つの形があるわけですが、それらの中で最終的に人を感動させ、ずっと心に残っていき、リピート（繰り返し利用）したいと思わせるものは何だと思いますか？　それはヒューマンウェアです。ハードウェアやソフトウェアは一時的には心地よさを感じさせますが、回数を重ねると人は慣れてきてしまいます。だからこそ、変化をつけていくことは大切ですが、いつまでも人を飽きさせないものはヒューマンウェアといえるでしょう。現在はサービス業においても一部のソフトウェアに関する業務が機械化されていますが、ヒューマンウェアの重要さはこれからも変わらないでしょう。これからますますヒューマンウェア、心のこもったサービスは求められていくと考えられますから、しっかりと磨きをかけていきましょう。[*4]

ホスピタリティやサービスという考え方を学んだところで、次にマナーについてみていきます。マナーの他にもエチケットや礼儀、作法、プロトコールという言葉もありますのでこれらについて学んでいきましょう。

サービスの３つの形

**ヒューマンウェア**
心遣い・身だしなみ・挨拶・表情
言葉遣い・立ち居振る舞い など

**ソフトウェア**
メニュー・機内食・レイトチェックアウト
ルームサービス・手続きの簡略化 など

**ハードウェア**
航空機機材・座席・建物施設・
家具などの備品 など

＊4　ホスピタリティやサービスの語源や概念についてより詳しく学びたい方は、参考文献にも掲載しております服部勝人先生の『ホスピタリティ・マネジメント入門　第二版』（丸善出版）を読まれることをお勧めします。

# マナーとは？

　マナーというとあまりいいイメージを持っていない人が多いようです。「マナーを守りましょう」「マナーが悪い」「マナーを問われる」などと耳にすることも多く、しなくてはならないことととらえている人が多いようです。中にはマナーを教えてくれる先生は、厳しくて怖くて近づきがたいと思っている人もいるようです。実は私自身もそうでした！　マイナスのイメージがあると、どうしても前向きに取り組めないものですよね。しかしマナーのルーツ（起源）を学び、その「誤解」が解けたらイメージがすっかり変わりました。まず皆さんにはマナーというものを正しく理解してほしいのです。

　マナーの語源はラテン語の「Manus（手）」ともいわれますが、英語の「Manor（マナ＝荘園）」と関係があるとも考えられています。日本語では「礼儀」ともいわれ、社交上の心や心得、相手に対して自分が取るべき態度や配慮という意味です。私は実体験からマナーとは、「相手への気持ちであるホスピタリティを正しい形（行動）で表したもの」と考えています。ホスピタリティは心ですから、相手からは見えません。だからこそ、そのホスピタリティ、心を行動という形にして相手に伝えることが必要です。その形そのものが、マナーととらえると理解しやすいのではないでしょうか？

　例えば相手の人を大切に思っていて丁寧に対応をしたいと思うのならば、カジュアルでラフな服装よりは、きちんとした身だしなみという「形」でもってお迎えすれば、相手にその気持ちが伝わるのではないでしょうか。感謝の気持ちを伝えたいと思っても、何も言わなければ伝わらないのと同様です。丁寧な言葉遣い、表情、お辞儀などで表現してはじめて伝わるものです。そしてマナーを身につけると、その人自身がさらに素敵に美しく見えて好感度がアップするのです。マナーを学び、身につけることはプラスの面ばかりだと私は思うのです！ いかがでしょうか？ マナーに対するイメージは変わりましたでしょうか？

また公共のマナーは、そこで一緒に過ごす人への配慮を形にしたものであり、お互いに気持ちよく過ごせるようにするためのものです。例えば食事の際のテーブルマナーは、一緒に食事をする人との時間を気持ちよく楽しく過ごせるようにするためのもので、食事を丁寧に、きれいにいただくことで、その感謝と敬意を表現することができます。周りへ配慮するというすばらしいホスピタリティがもとになっているのです。

ただマナーという形だけを学び、身につけるだけでは逆効果になる場合もあります。心があっての形であることを心においておきたいものです。一方、形を学んでから、そこに心を込めていくことによってその意味を見出し、心を磨いていくという学び方もあります。いずれにしても、ホスピタリティ（心）とマナー（形）は常にセットで学んで磨きをかけていきましょう。

## エチケットとは？

マナーと似たような言葉にエチケットがあります。エチケットの語源は諸説ありますが、その一つにルイ十四世の時代、トイレのなかったベルサイユ宮殿では庭で用を足す人が多く、その場所が分かるように注意書きが書かれた立札のことを「エチケット」と呼んでいたようです。時代とともに「エチケット」は宮廷での作法全般をさす言葉に変わっていきました。一般的には作法や社交の際の言動や振る舞いなどの「所作」、人づきあいを円滑にするための常識的なルール、その社会の中で培われてきた「しきたり」などを指します。よりシンプルなとらえ方をすれば最低限守るべきマナーや配慮と考えることもできます。特に衛生的な面は、時に人に不快な思いをさせてしまうことが多いですから、ホスピタリティ以前に守っていきたいものです。

## プロトコールとは？

最後に「プロトコール」です。はじめて聞く方も多いかもしれませんね。「プロトコール」とは外交儀礼、国際儀礼ともいわれ、生活習慣上のルールというより国賓対応を主たる目的とするものです。歴史、風俗、宗教、文化の違いを知り、お互いの習慣やしきたりなどへの違いを尊重し合い、決して自国のもの

エチケット・マナー・プロトコールまとめ

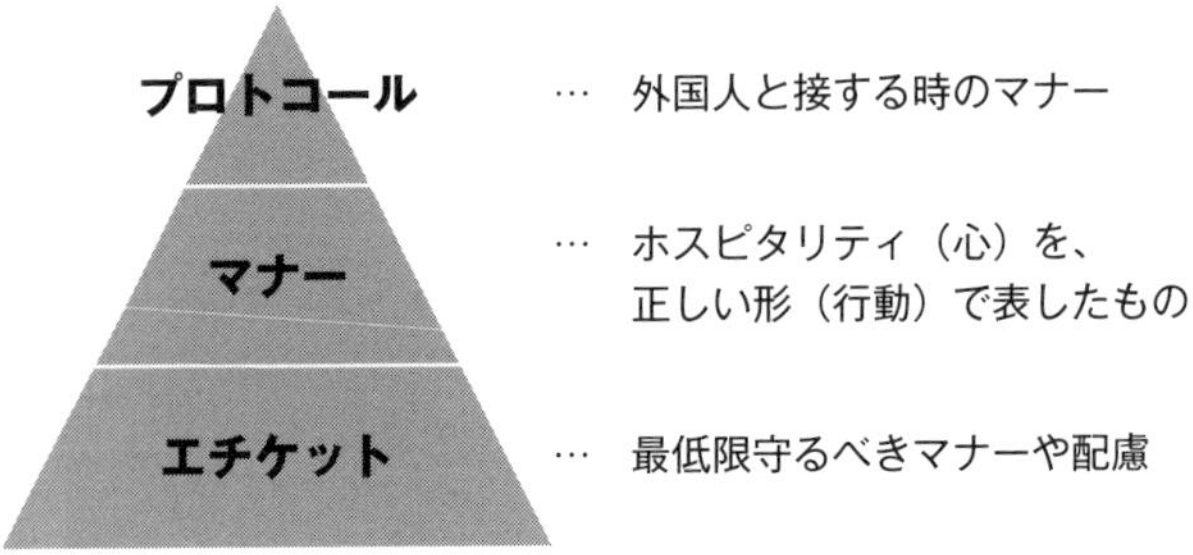

| | |
|---|---|
| プロトコール | … 外国人と接する時のマナー |
| マナー | … ホスピタリティ（心）を、正しい形（行動）で表したもの |
| エチケット | … 最低限守るべきマナーや配慮 |

を強制しないのが原則です。分かりやすく言えば外国人と接する時のマナーです。国際会議やサミットなどの外交に携わる場面やホテルなどでは特に必要なことです。異文化コミュニケーションを円滑にはかるためにも、外国人との挨拶の仕方や宗教に関するタブーの理解、パーティーや服装のマナー、テーブルマナー、自分の国の年中行事やしきたりについての理解などを教養として基本を学ぶとよいでしょう。[*5]

いかがでしょうか？ マナー・エチケット・プロトコールの基本を心得ると相手とよりよい人間関係を築いていくことができます。また、その後のコミュニケーションを円滑にするためには、どうしたらいいのでしょうか？ ここからは第一印象や第一印象を磨く方法について学んでいきます。

*5 『マナー&プロトコールの基礎知識 第六版』による。

## 第一印象

日々の生活の中で、人との関わりは必ずあるものです。人との出会いの瞬間は特別なもので、その後の関係性に大きな影響をもたらすほどのインパクトを持っている場合もあります。それがスタートラインとなる第一印象です。私たちは日々、その瞬間を繰り返しているのです。皆さんはこれまで自分の第一印象を意識したことはありますか？

第一印象は一般的に三秒から五秒ぐらいで決まるといわれています。人によると思いますが、日常生活の中でテレビ番組やメニューを選ぶ時などは三秒から五秒ぐらいで好みかそうでないかは判断できますね。意識というよりは無意識のうちに感じ取るもので、人に対する印象にも同じことがいえます。

第一印象でよい印象を与えられれば、その後の人間関係がスムーズに始められますし、もしマイナスの印象を与えてしまった場合はマイナスからのスタートになってしまいます。しかも第一印象はインパクトが強く、長い期間記憶に残るものですからうまく活用していきたいものです。

よい第一印象はどのようなものでしょうか？ 私は「好感」を与えられるようにすることが大切と考えます。「好感」とは一緒にいて楽しく、また会いたい、話をしたいと相手に思ってもらうことと考えるといいでしょう。もっともそれはただ相手に好かれようということではありません。あくまでも自分の発信をよいものにしていくためのひとつの方法です。

## グランドスタッフのシフト勤務

空港での勤務はシフト勤務です。その空港に就航している便のスケジュールに合わせて勤務時間帯が決まります。会社や空港にもよりますが、一般的には四勤二休です。つまり四日間勤務をして二日間休みで六日間を１つのサイクルとして、それが土日祝日関係なく続いていきます。

四日間勤務のうち二日間は早朝からの勤務である早番（はやばん）、二日間は午後から夜までの勤務である遅番（おそばん）です。私が勤務していたセントレア（中部国際空港）の場合、早番は6：00－14：30や6：30－15：00のシフトが一般的でした。ほとんどの社員は空港周辺に居住していますが、いずれにしても自宅を出るのは午前五時として、起床時間は午前三時半や四時という社員が多かったです。それぐらいの時間に起床するには前日は夜十時ぐらいには就寝というスケジュールになりますので、まさに逆算のタイムスケジュールで生活する必要があります。そして健康管理も大切です。

慣れてくれば自分のリズムが掴めるようになりますし、平日休みの生活になりますので、どこかへ出かけるときは、空いていてなんだか得したような気持ちになったものです。自分の時間がしっかりと取れる勤務スケジュールともいえますよ。

# マナー五原則

自分で自分に磨きをかけるということとマナーとは大きく関係しています。「自分を磨く」という場合、「磨かれるべき対象」としては五つのものがあります。これは一般的にマナーの五原則や接客の五原則に関わるもので、「身だしなみ」「挨拶」「表情」「言葉遣い」「立ち居振る舞い」のことです。一流のサービスを提供しているスタッフなどはこの五つのことができていて洗練されていると感じませんか？　もしイメージすることが難しければ、多くの人に好感を持たれている芸能人やタレントさんを思い浮かべてみてもよいですね。清潔感のある身だしなみ、感じのよい挨拶、笑顔あふれる表情、丁寧な言葉遣い、背筋の伸びた美しい姿勢、立ち居振る舞いは誰もが好感を持つものです。プロの手にかからなくても、一般人の私たちでも、同じようにすればしっかりと磨きをかけることができます。グランドスタッフとして仕事をしていた時は、とにかくこのマナー五原則の大切さを教えられ、日々意識していました。サービス業に従事する人はお客さまに好感を与えられるように、この五つに磨きをかけていきましょう。

マナーの五原則

- 身だしなみ
- 挨拶
- 表情
- 言葉遣い
- 立ち居振る舞い

## 身だしなみとおしゃれの違い

身だしなみとは、服装そのものやその着こなし方、整え方のことをいいます。まずは身だしなみとおしゃれの違いについて学んでいきましょう。皆さんはどのような違いがあると思いますか？

それは「基準」の違いです。身だしなみは「相手が基準」で、相手から見てどう感じるかという見方をして自分自身を整えていくものです。一方、おしゃれは「自分が基準」であり、自分が好みの着たい服を着て、髪型、髪色などにするというものです。どちらが相手に好感を与えられるものになるでしょうか？やはり「相手を基準」にした身だしなみですね。

ここで「相手を基準」にするということを説明します。相手とはもちろん人でもありますが、ＴＰＯに合わせるということでもあります。ＴＰＯとは、Time（時間）、Place（場所）、Occasion（状況・行事）です。服装のマナーのことも含めて、もう少し細かく説明します。

洋装のマナーはイギリスがヨーロッパのフォーマルウェアの基準になっています。Time は時間のことですが、洋装では昼と夜と服装の基準が異なります。昼間は日が出ていますので、色目やデザイン、アクセサリーは落ち着いたもので、肌の露出や輝きの強い宝石は控えます。夜間は暗い分、肌の露出を多くし、アクセサリーも輝きの強いものを身につけます。和装（着物）の場合、時間は季節感と置き換えると理解がしやすいでしょう。日本には四季があり衣替えをしますね。着物の場合は、生地が異なる四種類の着物を季節に合わせて着用します。また絵柄にも季節感が取り入れられていますので配慮します。

Place（場所）は訪れる場所、過ごす場所のことです。例えば、レストランも高級かカジュアルかでその場にふさわしい服装が異なってきます。レストランによってはジャケット着用が必要な場合もあります。

Occasion（状況・行事）とはその場で行われる事柄であるとするとイメージがしやすいでしょう。同じホテルでも結婚式、お別れ会、送別会、謝恩会など目的はそれぞれです。お祝いの席であれば華やかに、悲しみの席であれば控えめにするようにするということです。

つまり一緒に過ごす相手から見てどうか、ＴＰＯに合っているかどうか、その場にふさわしいかを踏まえて、服装や身なりを整えていくことで「好感」を与えられる身だしなみになります。

## 好感を与えられる身だしなみとは？

では具体的にどのように身だしなみを整えていけばいいのでしょうか？　ここでは深掘りをして具体的な整え方をお伝えします。

まず身だしなみで大切なことは「清潔感」です。言い換えればさわやかさというところでしょうか。皆さんは基本的に毎日入浴し、洗濯された服を着用し、自分では清潔であると思っているかもしれませんが、相手に清潔であると感じてもらうためには、整えることが必要です。例えば、洗濯をしてある清潔なシャツを着るとして、アイロンをかけてシワのないものと、シワがありヨレヨレに見えるものとどちらに清潔感があると思いますか？　アイロンをかけて整えたシャツですね。同じように洗髪した清潔な髪の毛ですが、乱れているのと、整髪剤をつけてきれいにまとめているのを比較するといかがでしょうか？　まとめている方が清潔感がありますね。少しずつ「清潔感」とは何かということが感覚として分かってきたでしょうか。近づいて欲しくない、いやな臭いがしそう……ということでは、好感を与えることは難しくなりますので、まずは「清潔感」を意識し、整えることが大切です。

次は「控えめ」であることです。華美で目立つと、一緒にいる相手はあまりよい気持ちにはならないものです。特にサービス業に従事する人の制服は、一般的に控えめな色目やデザインであることが多いです。身だしなみの基準も髪の毛やメイクの色も含めてそうです。自分は控えめにしてお客さまを引き立てるのが、相手への敬意となります。

最後は「上品」であることです。「品」は身だしなみだけで完成するものではなく、立ち居振る舞いや表情などの全体の雰囲気で作りだすものでもあります。服装に関して言えば、色目は原色など強めのものを避け、サイズが合っているものを着用する、肌の露出を控えめにすることで上品な雰囲気になります。

身だしなみの基準は職場や環境で異なりますので、一概にはいえませんが、特に就職活動や式典などのフォーマルなシーン、サービス業に従事する際は「清潔感」「控えめ」「上品」を意識して整えていくようにしましょう。

## 挨拶

小さい頃からしつけをされている「挨拶」ですが、皆さんはその意味をご存知でしょうか？　挨拶の漢字にはそれぞれ「心を開いて」（挨）、「相手にせまる」（拶）という意味があります。挨拶はとてもシンプルですが、挨拶をした人、しない人でかなり印象が変わります。「挨拶」はコミュニケーションの第一歩、心のノックでありそこから心の交流がスタートするからです。

皆さんは日常生活の中でどのような挨拶をされていますか？「おはようございます」「こんにちは」「ありがとうございます」などいろいろとありますね。簡単に口にできるからこそ、そこへしっかりと気持ちを込めていきたいものです。ＳＮＳ（ソーシャルネットワーキングサービス）のメッセージなどでは絵文字を使ってその感情を表現することも多いと思いますので、そのイメージで挨拶をすると気持ちをのせやすいかもしれませんね！

「おはようございます」を下がったトーン（声の調子）で言うのか、上げて言うのかでかなりイメージが変わります。下がったトーンは元気のなさや不機嫌さ、怖さを相手に与えてしまいます。トーンを上げて、イントネーションをつけると明るい印象になります。顔の表情と声はつながっていますから笑顔のやさしい表情からはやさしい声が出ます。声のみならず明るい表情、笑顔で挨拶をすると、視覚からも相手によい印象を与えることができますよ。

よく新入社員や新入生が初日からできることは元気な挨拶といわれます。上司や先輩に挨拶をしていくことで、その場の雰囲気を明るくすることができるからです。最初は元気に挨拶をする日々が続きますが、残念ながらだんだんとしなくなってしまう人もいます。よくあるのは、「挨拶をしても相手が返してくれないから、している意味がない……」と思い結局挨拶をしなくなってしまうことです。まず挨拶は返してもらうためにするのではなく、自分がすることに意味があります。心のノックですから、相手がノックを返してくれなくても、ノックをすることはやめなくてもいいのです。しかし自己満足で相手の心に届かない挨拶をしていることもありますから自分で振り返ることは必要ですね。

そしてできることは、相手に返してもらえるような挨拶をすることです。大学の授業でも学生の皆さんによくスピーチをしてもらいます。その時最初に挨拶をしてもらうのですが、聞いている皆から挨拶が返ってくる人とそうでない人がいます。同じ挨拶でも、相手への伝わり方が違うと受ける側の反応も違ってくるものです。分析してみると、気持ちを込めているかどうかはもちろんですが、しっかりとアイコンタクトをし、目の前にいる人に投げかけるようにすると、受け取り方が違うようです。皆さんも思わず返したくなる挨拶はどのような挨拶かと研究することからはじめるといいですね。

最後に、挨拶のよいところは先にした方が主導権を握ることができるということです。つまり「先手必勝」です。お店でも、お客さまから「いらっしゃいました！」と言われてしまったらいかがでしょう？　やはりお店の人から「いらっしゃいませ」と先に挨拶をしてお客さまをお迎えしたいものです。「挨拶」の頭文字に関連して「あかるく、いつも、さきに、つづけて」いくことから始めてみましょう。皆さんの第一印象が磨かれ、何かが変わることを実感しますよ。

## 表情

表情は英語では expression（表現）といいます。私たちが心で感じ、思っていることを表現するということです。顔の表情を思い浮かべる人が多いと思いますが、それ以外にも目や声を通しても私たちはさまざまなことを表現して、相手に伝えています。逆に相手のことも感じ取っているのです。

まずは顔の表情からみていきましょう。例えば、笑顔で挨拶をしてくれる人と無表情の人とどちらの印象がよいでしょうか？　やはり笑顔で挨拶をしてくれる人ですね。笑顔は万国共通で人の心をいやしてくれるものです。街で見かける赤ちゃんや小さな子供が、純粋無垢な笑顔で見つめてくれると、思わずこちらも笑顔になるものですね。「笑顔」は人の心をひきつける魅力があります。しかし心が伴っていない無理やり作った「作り笑顔」は、相手に見抜かれてしまいます。本当に楽しい、やさしい気持ちを持っている人が浮かべる笑顔は、内面からの湧き出てくるような輝きがあり、心をいやしてくれるものです。顔の表情ばかり作るのではなく、まずは心の表情を前向きなものにしていきましょう。

しかし常に笑顔でいればよいかとなるとそうではありませんね。笑顔が好ましいシーンもあれば、そうでない場合もあり、状況に応じて判断する必要があります。例えば、真剣に人の話を聞いている時は、真剣な表情を通り越して無意識ににらみつけるような目線になり眉間にシワがより、口角（口の両脇）が下がり、怖い顔になっている時があります。自分は一生懸命であるにもかかわらず、周りの人から見れば、「怖い人」と思われてしまうのは残念なことです。また顔の表情は目と口元が大きく影響をしますので、まずはやさしい目元と口角をキュッとあげることを意識してみましょう。私がグランドスタッフをしている時は口角を上げるトレーニングとして「ウィスキー」「ウッキー」「ラッキー」を言い合い、お互いの口角を確認していました。特に口角を上げていると、顔全体の筋肉のリフトアップにもなりますので若々しい印象になります。日本語は口角が下がったままでも話せてしまうこともあり、日本人は口角が下がりやすいと言われています。まずは鏡を見ながら、口角が上がっている時、下がっている時の違いを確認してみましょう。顔の表情の印象が大きく変わるのが分かると思いますよ。

次は目の表情についてです。「目は口ほどにものを言う」とも言われるように、目はその人の感情がしっかりと出てしまうところです。悲しいことがあれば涙が出ますし、かわいい赤ちゃんやペットを見れば、自分も自然とやさしい眼差

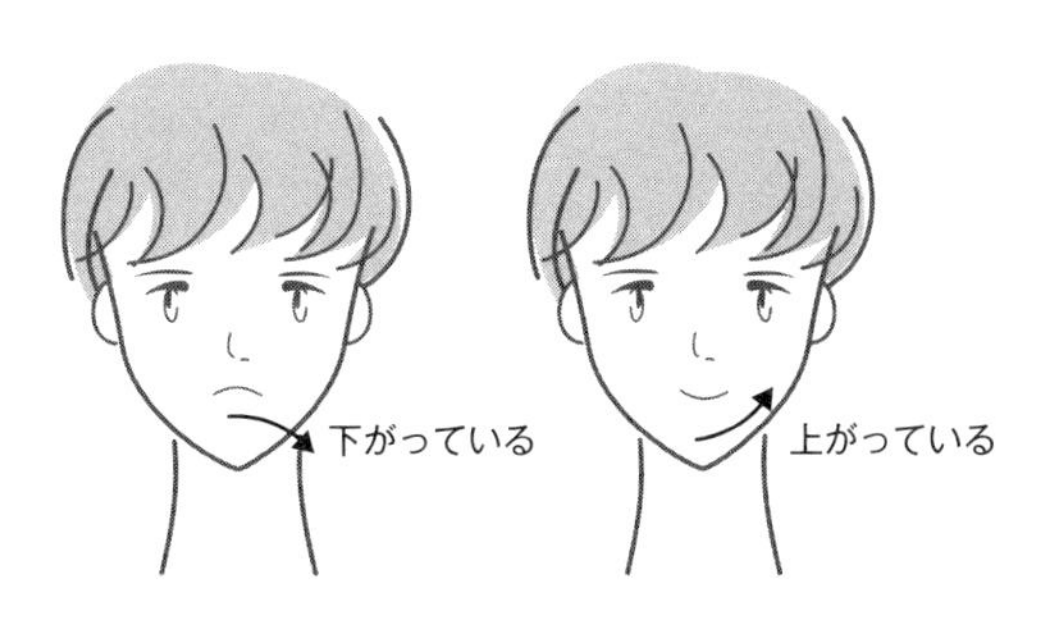

しになりますね。喜怒哀楽がありそれが表に出てしまうのは人として当然のことですが、人に不快な思いや恐怖感、不安感を与えることは避けたいものです。

このように目の表情はとても重要ですが、あごの位置も同じように重要です。あごの位置で大きく印象が変わるからです。あごを少しひくと控えめな印象になり、あごを平行に、また少しだけ上げると凛として、自信があるように見えます。バレリーナやダンサーたちが堂々と、凛と見えるのは、背筋を伸ばしあごを下げすぎず、上げすぎていない絶妙な位置に保っているからだといつも感じています。しかしあごを上げすぎてしまうと傲慢な印象を与えます。「上から目線」という言葉があるように、あごが上がって、人を見下ろしているような目線になるとそう感じさせてしまうのですね。特に背が低い人は自分より背が高い人と対面することが多いため、あごが上がってしまうことがあります。逆にあごを下げすぎてしまうと自信がないように見えてしまいます。ほんの少しのことですが、驚くほど印象が変わりますので、鏡を見て確認し意識していくといいですよ。

最後に声の表情です。皆さんは自分の声の表情を意識したことはありますか？　私は空港でアナウンスをするようになるまで、全く意識したことがなく、そのようなことがあることも知りませんでした。

自分の声はその人だけの声で変えることはできませんが磨くことはできます。以前、声が低くて、威圧感を与えてしまうと気にしている友人がいました。声が低くても明るい声を出すことはできますし、やさしい声も出すこともできま

あごの位置による印象の違い

す。そして大切なことは声の表情は顔の表情とつながっているということです。やさしい表情からはやさしい声が出ますし、怖い顔をしていたら、怖い声が出るということです。笑顔で怖い声を出すことは難しいですよね？　グランドスタッフ時代に、アナウンスを行うときは、笑顔で「笑声（えごえ）」で話しましょうとよく指導を受けていました。私自身も自分のアナウンスを録音して聞いたことがありますが、顔の表情を意識した時とそうでない時の声の表情が大きく異なることに驚きました。

またアナウンサーやキャスター、プロの司会者などは話す相手や状況によって、声の表情を変えています。子供向けのイベントであれば、トーンを高めに明るい声で、結婚式などのフォーマルな場面では、明るくかつ落ち着いた声で行っています。まずは自分の声の表情を意識してみることから始めていきましょう。

## 言葉遣い

言葉遣いは心遣いともいわれ、丁寧で美しい言葉遣いは相手への敬意そのものと私はとらえています。日本語には相手への尊敬の気持ちを、言葉で表現する敬語があります。私はこういう日本語という言語をすばらしいと感じていますが、それだけ複雑であり中には難しさを感じ言葉遣いに苦手意識がある人もいるようです。また現在は言葉が乱れ、正しくない敬語が使われていることが多いため、将来を担う若い世代の皆さんにはぜひ、美しい日本語を継承してほしいと思っています。

特に学生の皆さんには敬語を覚えようとするのではなく、まずは心ありきで相手への思いやりの気持ちを改めて持つことから始めてみましょうと伝えています。相手を尊敬し、大切に思う気持ちを持っていないのに、敬語をマスターしようとするのは本末転倒です。マナーはホスピタリティを形にしたものですから、まずは心構えを変えることからがスタートです。その上で日本語を使う立場として、敬語の基礎をもう一度見直していきましょう。

皆さんは尊敬語、謙譲語、丁寧語などについてそれぞれ説明できますか？改めて聞かれると、よく分かっていなかったということも多いですね。基本を理解できれば、正しくない言葉遣いの理由が分かり、自分で修正をすることができます。言葉遣いは時代によって変化し、またルールも奥深いもののため、ここでは簡潔にまとめてお伝えします。

まずは尊敬語です。立場は相手がすでに目上、年上のように上である状況で、相手を敬うのに使うのが尊敬語で主語は「相手」です。例えば「食べる」という動詞を敬語にする場合は、基本パターンとしては①お～になる（お食べになる）②れる・られる（食べられる）③言い換え（召し上がる）です。

次は謙譲語です。相手の立場は上でも同じでも下でも、より相手を高めるために自分を低めて（へりくだる）使うのが謙譲語で主語は基本的に「自分」です。謙譲語は基本パターンとしては①～いたす（ご連絡いたします）②お～する（お知らせする）③言い換え（申す・参る・拝見するなど）です。[*6]

＊6　謙譲語は謙譲語Ⅰ、Ⅱとさらに細かく種類がありますが、ここでは簡潔にまとめてお伝えしています。

丁寧語は「です」「ます」「ございます」という語尾に関するものです。言葉の頭に一定の言葉を付加して「お菓子」「ご飯」というように使用する敬語に準ずる準敬語としての「美化語」もあります。いずれも誰に対しても使える敬語です。

では整理ができたところで、気をつけたい言葉遣いについてみていきましょう。

## 気をつけたい言葉遣い

言葉遣いは、その人の過ごした環境を表すものです。周りの人が使っている言葉遣いをそのまま自分のものにしていくからです。例えば英語も同様で、留学から帰ってきた学生の皆さんが話す英語を聞くと、留学期間中どのような環境で過ごしてきたのかがある程度は想像がつきます。皆さんが今後成長され親となれば、皆さんが話す言葉を子供たちが覚えて、身につけていきます。今こそ正しい言葉遣いを身につけて、未来へ継承していけるようにしましょう。

まずは正しい敬語と思っていたけれど、実はそうではない言葉遣いがありますのでそれについて見ていきます。

お店でレジ対応をお願いした時によく耳にする「以上でよろしかったでしょうか」「１００円になります」「お席の方はこちらです」は、丁寧に聞こえ、決して感じの悪さはありませんが正しい日本語にするとこのようになります。

よろしかったでしょうか？→よろしいでしょうか？（過去形にはしません）
１００円になります→１００円です（でございます）（丁寧語にします）
お席の方はこちらで……→お席はこちらで……（方は必要ありません）

特に「～になります」は丁寧語（です・ます・ございます）の代わりに多用されています。「なります」はＡからＢへ変化するというような時のみ使用しますので、ほとんどが丁寧語に置き換えられます。

～する形（かたち）になっております

こちらもよく耳にします。正しい言い方はその状況によりますが、少なくとも「形」という言葉は必要ありません。

「ご注文の方、ボタンを押していただく形になっております」

とても感じよく店員さんが案内をしてくださいますが、高級レストランやホテルなどでは、格調高いサービスとは感じられない言葉遣いだと私は思います。言葉遣いは心遣い、サービスパーソンの方が使う言葉遣いでそのサービスの品質、またその場の空気感、雰囲気が変わっていきます。

いつも大学の授業で今述べたようなことを学生の皆さんに伝えると「正しく

なかったとは知らなかった！」と驚いた表情をします。アルバイト先を含め、周りの人が使っている言葉遣いをそのまま聞いて身につけていますから、正しいかどうかは全く考えていないと思います。長い間使ってきた言葉遣いを直すことは大変時間がかかることですが、今からでも遅くありません！　美しい言葉遣いを身につけるためにはまずはこれらの言葉遣いを見直すことから始めていきましょう。

## 立ち居振る舞い

立ち居振る舞いは、身体表現による言語ともいえます。私たちはうれしいことがあればその喜びを手を広げたり、飛び跳ねたりして無意識に表現しますし、自信がなくなれば下を向くことで心の内を表現します。顔の表情とは異なり立ち居振る舞いは遠くからでも見えるものですし、面積も広いです。より多くの人に見てもらうものになりますから、美しい立ち居振る舞いを自分のものにすれば、それだけで人を魅了し、心地よさを与えるものになるのです。

美しい立ち居振る舞いのポイントについて説明をしましょう。まず基本は美しい姿勢です。文字通り、「姿に勢い」が出ますし、それだけで凛とした印象を与えます。信頼性を感じさせ、スタイルもよく見せ、若々しく見せます。気持ちもキリッとして表情も引き締まるという、プラスの面ばかりです。

まず自分が一番美しいと思う姿勢をしてみましょう。イメージとしては上からヒモでつるされているような感じです。足元はかかとをつけて、そこに重心をおきます。おへそを縦長にするようにすると、上半身が伸びます。次に後ろで片側の腕をつかむようにすると、肩甲骨がぐっと寄り肩と胸を広げることができますよ。首はどのようになっていますか？　最近は頭が前に出てしまうことが多いようです。横から見て、耳と肩の位置が一直線になるようにすると美しくなります。あごが上がってしまっていたら程よくひきましょう。目は自然に縦に開き、口角をキュッと上げます。手を前に組む場合は左右の親指のつけ根が交差する部分がちょうどおへその位置にくるようにおくとバランスがよいですよ。力を抜いて自然に見えるようにするとよいですね。さあ、これで完成です。意識すれば一瞬で美しくすることもできます。そして大切なことはこれを継続させることです。自分で鏡を見て、どうしたらより美しく見せることができるのかを研究してみましょう。

次のポイントは脚や指を揃えることです。揃えているか、離れているかで品のよさが大きく違ってきますので、常に意識をして揃えるようにして身体に叩き込んでいきましょう。

また出口をご案内するときなどの指し示しや物の受け渡しの時には、指を揃えると洗練されて見えます。私が習っている茶道でお客さまへお茶をいれる所作であるお点前（おてまえ）をする時は、物を持つ時は親指と中指で持ち、他の指は添えるようにするときれいに見えると先生から教わりました。重いものは軽く、軽いものは重く見えるようにすることも意識されているようです。

最後は一つ一つの動作を区切る分離動作をすることです。歩きながら挨拶をして、お辞儀をするなどのながら動作は丁寧さに欠けてしまいます。例えば卒業式などで証書を受け取る時は、歩いて、立ち止まり、お辞儀をしてから受け取るとより格式の高い振る舞いになります。大変忙しい時は同時動作とならざるをえないこともありますが、丁寧な印象を与えたい時は分離動作を意識して行えば、大変印象がよくなり、洗練されて見えますよ。

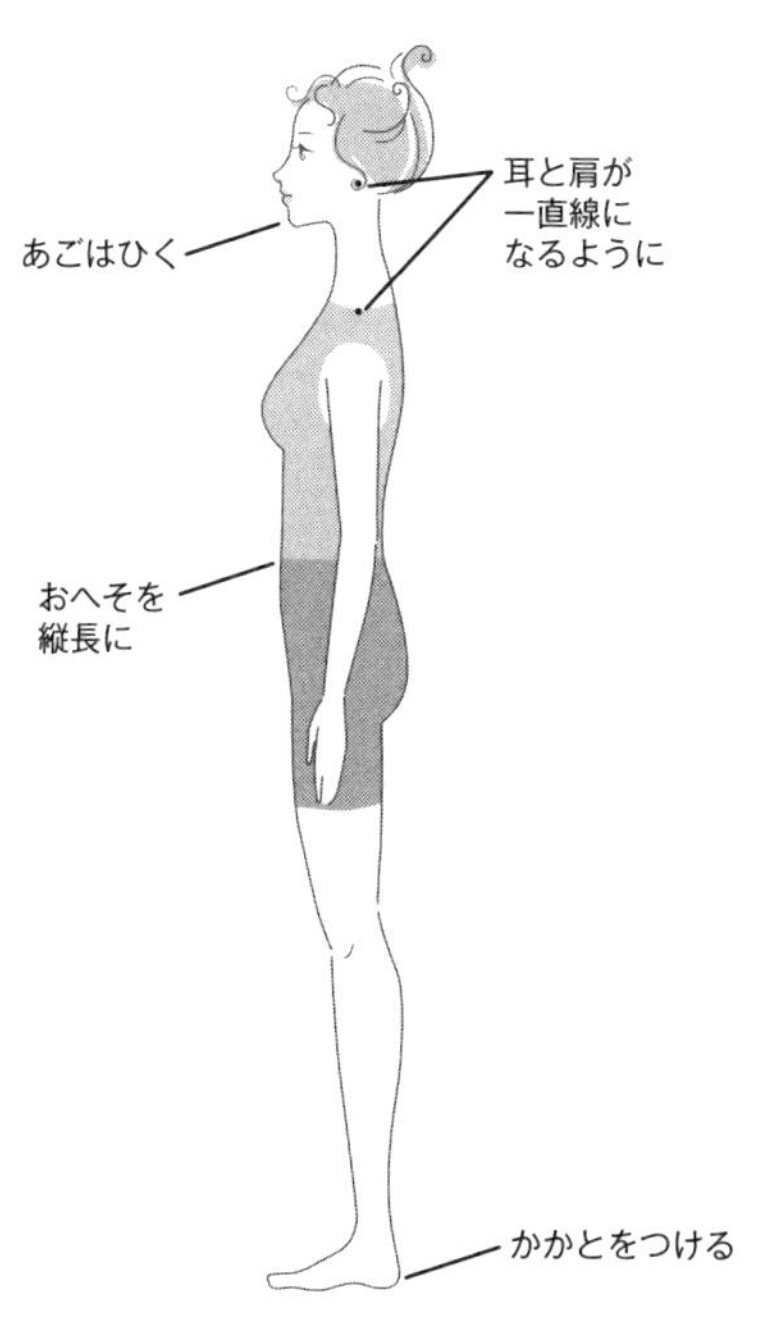

## Transit Cafe 2

### グランドスタッフの職業病とは？

どの職業の人にも、つい身についてしまっている「職業病」がありますね。仕事の時間外に「これは職業病かもしれない……」と気づく場面が何回かありました。このような話題は学生の皆さんも興味を持って聞いてくれますので、そのお話をしていきますね。

まずは目が合うと挨拶してしまうということです。私が勤務していたセントレア（中部国際空港）では、空港で働いているすべてのスタッフと挨拶をする習慣があります。これはセントレアで働いていた者として誇らしく、とても気持ちいいものでした。つまり行き交う人全てと挨拶を交わしますので、街の中でも同じようにしてしまうというのが職業病です。

またこれは大学に勤めている私ならではかもしれませんが、授業は当然のことながら時間通りの開始を心がけています。少人数の授業であれば、最初に学生の出欠を確認しますのでまだ教室へ来ていない学生がいるとつい廊下まで出て探してしまうことがあります。まるで搭乗ゲートにまだいらっしゃっていないお客さまを捜索するかのようで……。毎回廊下をのぞいてしまう自分がおかしくなります！

街中でキャリーケースやスーツケースを持っている人がいると、つい損傷がないか、名札がついているかを確認してしまう、エレベーターに乗るとつい自ら開閉ボタンを押して乗っている人に声がけしてしまう、「すみませーん」と言われると自分のことだと思って振り返ってしまう……など、いろいろとあるのですよ。皆さんはそのような職業病はございますか？ せっかくなら素敵な職業病に「かかりたい」ですね！

# 第2章

# ホスピタリティを磨く20のレッスン

ここからは第一章で学んだことを踏まえて、ホスピタリティをさらに磨くための20のレッスンに入ります。主に私のグランドスタッフ時代の実体験をもとにお伝えしますので、皆さん自身の立場に置き換えて今後の生活で実践するきっかけにしてくださるとうれしいです。

何よりも大切なことは「実践」することです。失敗しても大丈夫。そこからたくさん学んでいけばよいのです！

## Lesson 1　立場が逆になっても……

ホスピタリティとサービスの違いについては第一章でお伝えした通りですが、これは私自身が大学教員になってからこれまでの経験を整理してみて改めて理解できたことでもあります。皆さんは、仕事やアルバイト時に自分がサービスする側（サービスパーソン）でイメージすることが多いと思います。しかし一日の中でも、自分がサービスパーソンではない時間が実は長く、そこでの自分のあり方によってホスピタリティの磨かれ方が違ってきます。

意識していきたいのは、自分が利用者となった逆の立場の時の立ち居振る舞いです。レジ対応の店員さんが「ご利用ありがとうございます」と言ってくださるのに対して、「ありがとうございます」と返しているか？　ということです。利用者の立場になると、店員さんの言葉をそのまま聞き流してしまうこともあります。お金を支払っているからといって、目の前にいる店員さんにお礼を言わないのは人として対等に向き合っているといえるでしょうか？　いえませんね。自分がどのような立場であれ、一人一人と向き合って、感謝の気持ちを言葉や行動に表してお返ししていくことが大切だと思います。

よく学生の皆さんから「アルバイトをしているときに、お客さまからお礼を言われた時がとてもうれしい」という言葉を聞きます。サービス業に従事している人であれば、この気持ちがよく分かることと思います。逆の見方をすれば、それだけお礼を言ってくださるお客さまが貴重であるということでもあります。再度バスの例になりますが、バスに乗っている時も、運賃を支払っているからと言って、降りるときにドライバーさんにお礼を言わずに無言で降りてしまっていいのか？　ということです。もし自分がバスのドライバーさんだったら……と考えてみるとよいですね。毎日何往復もし、多くの乗客を乗せているのに、誰一人としてお礼を言ってくれない……では、仕事といえども寂しいと感じませんか？　もし自分がその立場だったら、どのようにしてくれたらうれしいか？　黄金律を常に意識して、自分自身の立ち居振る舞いを変えていくことが大切です。ホスピタリティの関係性が「対等」であるということは、自分が利用者であってもサービスパーソンであっても、常に意識していきましょう。

## Follow up lesson

日常生活の中でもっとお礼を伝えられる場面がないか振り返りましょう。

## Lesson 2 忙しい時こそマナー五原則を意識する

空港では特にお客さまの時間を無駄にせず、お待たせしないということを意識したスムーズなサービスが求められているといえます。「よいサービス＝時間をかけること」と思い込んでいた私は、グランドスタッフとして思うようなサービスができていないことに、悩んでしまった時期がありました。

チェックインカウンターでは待っていらっしゃる大勢のお客さまを前にして、とにかく迅速に正確に対応することが求められます。一人にかけられる時間は数分、場合によっては一分にも満たないものです。本当はカウンターで行き先のお話などいろいろとしたいけれど、とてもじゃないけどできない……。とにかくさばいている感じがして心苦しくなる時もありました。

見方を変えてみると、このような状況の時にお客さまは、グランドスタッフからじっくり時間をかけた対応を求めていらっしゃるでしょうか？　とにかく早く、確実に対応してくれればそれでよいと思っていらっしゃるお客さまも多いでしょう。サービスパーソンの自己満足ではなく、まずその場で求められている対応は何かということを理解し、提供することが大切だと気づいたのです。

求められているよいサービスはそれぞれの状況で変わります。少なくとも空港では「時間」を意識した対応が求められます。そのような状況でお客さまへのホスピタリティ、気持ちをどう表現したらいいのでしょうか？

そこで大切になってくるのが「マナー五原則」です。時間をかけられなくても、声をかけられなくてもきちんとした「身だしなみ」、心のこもった「挨拶」、豊かな「表情」、丁寧な「言葉遣い」、美しい「立ち居振る舞い」を通して、お客さまはサービスパーソンのホスピタリティを感じとります。忙しい時こそ、マナー五原則を意識していきましょう。

# Follow up lesson

皆さんの職場、アルバイト先ではどのようなサービスが求められているか考えてみましょう。

## Lesson 3 残されたホットコーヒー

グランドスタッフ時代にＶＩＰ対応を担当した時のことです。ＶＩＰ対応業務では出発時はチェックインカウンターでお客さまを個別にお出迎えし、チェックイン終了後は保安検査、ラウンジへとご案内をします。私が担当したお客さまは遅めの時間にいらっしゃり、時間に余裕のない状況でしたが、ラウンジ（待合室）でホットコーヒーを飲みたいとご要望がありました。私はゲート担当者と搭乗時刻の確認などをする必要があったため、ラウンジ内のスタッフへホットコーヒーの準備を依頼しました。スタッフがあらかじめ準備をしてくれていたお陰で、すぐにホットコーヒーをお客さまへお出しすることができました。

しばらくして、お客さまをゲートへご案内しようとお声がけしたところ、テーブルにはお出ししたホットコーヒーがほとんど残ったままになっていました。私は一瞬疑問に思いました。寒い冬の日でしたので、ホットコーヒーであたたまりたいとおっしゃっていたのに……？　砂糖もミルクも添えていたはず……。もしかして紅茶の間違いだったのだろうか？　お忙しかったから時間がなかったのかな？　など思いながらも、時間も迫っている中ですので、とにかくゲートへと急ぎご案内しました。そしてご案内の道中でお客さまから「ホットコーヒー、熱すぎて飲めなかったよ」というお言葉をいただき、私は自分の配慮の至らなさを大いに反省することになったのです。

準備をしてくれたスタッフはお湯を沸かし、ホットコーヒーをいれてくれていました。ご案内した私が状況をふまえて、一歩先読みをして、スタッフへ時間がない中でのホットコーヒーのご提供は、飲みやすくするためにいつもより温度を低めにしてもらうように具体的に依頼すべきだったということです。私は時間が迫る中余裕がなく、お客さまの立場に立った対応ができていなかったのです。

例えば機内やレストランで「お水ください」とお客さまよりご依頼があった場合、そのまま受け取らずに深読みをしてみましょう。喉を潤したいのか、料理の味が濃いと感じているから、薬を飲むためか、それによって氷を入れた冷えたお水がよいのか、常温がよいのかが変わってきます。暑いようでしたら室温の確認をする、味が濃いようでしたら料理の感想を伺ってみる、薬を飲まれているようでしたら、体調へ配慮し場合によっては室温の調整、膝掛けの準備など必要にならないかと先読みするということです。お客さまを目の前にすると、つい緊張して他のことに気が回らなくなることもあります。やはり常日頃から一歩先を読む訓練をしておくことが大切だと実感した出来事でした。

## Follow up lesson

これまでお客さまからあったご依頼を改めて深読みしてみましょう。

## Lesson 4 話すより聞くを

ＶＩＰ対応業務で大切になってくるのがコミュニケーションです。顔見知りのお客さまであれば会話が弾みますが、初対面のお客さまの場合は、お会いしてすぐに会話をしなければならない状況になるため話題を見つけることが難しく、大変緊張するものでした。緊張すると言葉が出てこなくなってしまう私は、続く沈黙に焦りを感じ、心の中で一生懸命話題を探していました。ある時、お客さまから「今泉さん、〇〇ドラマって見ている?」と聞かれたことがありました。私はそのドラマを見ていなかったため、「あいにく、見ておりません」とお答えしたところ、結局そのまま会話は止まってしまいました。せっかくお客さまから話題をふってくださり、会話ができるチャンスだったのに!! と今でも後悔している出来事の一つです。さあ、この時私はどのようにすればよかったのでしょうか?

お客さまがドラマの話題を出されたということは、そのドラマに興味があり、お話ししたいことがあるということだったのでしょう。私は自分が話すことばかり考えてしまい、そのことに頭が回りませんでした。たとえ私がそのドラマを見ていなくても、「気になっているドラマではあるのですが、あいにく勤務時間の関係で見たことがないのです。〇〇様はご覧になっているのですか?」と聞き返して、お客さまがお話しされたいことを引き出せばよかったのです。

お客さまとの会話となると、自分が会話の主導権を取らなければと思い、いろいろと付け焼き刃で知識を蓄えて、対応に臨んでいたことがありました。しかし実際にはお客さまは私の話を聞くよりも、ご自身がお好きなことを話すことを楽しいと感じられるようでした。

もし相手から「〇〇って知ってる？」「〇〇って好き？」という会話があれば、その話題で話をされたいのかもしれません。自分が話すより聞くことをしてみると会話が弾み、よりよいコミュニケーションがとれてお互い楽しい時間を過ごすことができると思いますよ。

# *Follow up lesson*

これまでのお客さまとの会話を振り返ってみましょう。

## Lesson 5 身だしなみと心は連動している

制服を着用する職業に従事している人は、入社時に身だしなみの規定について教育されることが一般的です。新人はその規定通りに身だしなみを整えていきますので、真新しい制服を身にまとっている姿に初々しさを感じてこちらもさわやかな気持ちになるものです。しかし数ヶ月経つと、身だしなみに少しずつ乱れが見られることがあります。気持ちのゆるみが、そのまま身だしなみの乱れになってしまうのです。

私自身も例外ではありませんでした。入社して数年経った頃に一通り業務が分かったつもりになり、気がゆるみ始めました。時々、注意不足からミスをしてしまうこともあり、仕事にやりがいを感じなくなっていました。そんな時に乱れたのが身だしなみです。グランドスタッフの身だしなみ規定は髪の毛の色、アクセサリーの種類や大きさ、爪に塗ることができるマニキュアなどの色まで多岐にわたります。気のゆるみから規定外の身だしなみをしていた時期がありました。当時の私は、身だしなみが乱れることで失っているものについて全く分かっていませんでした。

しかし、しばらく経ってから、私は社内で新人のサービス接遇教育のインストラクターを担当することになりました。インストラクターとしての教育を受け、心構えを学んだ時に、私自身が乱れた身だしなみをしていては後輩の手本にならず、説得力がないと思い、心を入れ替えて身だしなみを全て規定通りにして改善をしました。

そうするとどうでしょう。お客さまから声をかけられる機会が増えただけではなく、職場の先輩後輩、同僚からの私への接し方がとても好意的になったのです。私自身の気持ちも前向きになり、やる気もでてきました。周りの人は、私の整った身だしなみを通して、心の変化を感じていたのだと思います。身だしなみと心は連動していると改めて実感した出来事でした。身だしなみの規定は常に意識をしていないと忘れてしまい、気がついたら乱れていることもあります。身だしなみを整えることで心も整い、心を整えることで身だしなみも整う、これを常に意識して実践していきましょう。

## Follow up lesson

職場での身だしなみの基準を再度確認してみましょう。

## Lesson 6 心を開いて、相手にせまる

人に感じのよさを与える方法はいろいろあり、中には特別な方法のようなものがあると考えている人もいるようです。しかし、とてもシンプルな方法で大きく印象が変わるものなのです。その代表的なものとして「挨拶」があります。挨拶は文字数にすると十文字ぐらいですが、挨拶をするのかしないのか、そこに気持ちを込めてするかどうかで、感じのよさが大きく変わります。

例えば「ありがとうございます」は口にする機会が多いと思いますが、気をつけないと言葉だけが何かあるごとに口から出てしまうことになります。自分は本当に感謝の気持ちを込めて伝えているのか、まずはそこから振り返ってみましょう。

気持ちを込めた挨拶は、人の心の窓を開けていきます。私自身もグランドスタッフ時代にこちらからの挨拶になかなか反応してくださらないお客さまを対応したことがあります。何度もお会いするお客さまですがアイコンタクトどころか、笑顔もない状況でした。結構ショックを受けました。そのお客さまの笑顔を引き出したいと私は心の中で「挨拶キャンペーン」をスタートしました。

まずは笑顔での「いらっしゃいませ」にしっかり気持ちを込め、アイコンタクトもして、少しずつ一言加えるようにしていきました。「いつもご利用ありがとうございます」「今朝は少し涼しいですね」など、少しずつアプローチを

強化していきます。抵抗感がなくなってきた頃にお名前を添えて挨拶をするようにしてみました。「○○様。おはようございます。本日もお待ちしておりました！」とお声がけすると、大変効果的で少しずつこちらへ顔を向けて笑顔を見せてくださるようになりました。そして遂には「今泉さん、おはよう！」とお客さまから挨拶をしてくださるようになったことをこれまで何度か経験をしてきました。私自身も大変驚いて、別のお客さまではないかと感じてしまうぐらいでした！　気持ちを込めた挨拶は、本当に相手の心を開くことができるのだと実感したものです。接客の場面のみならず、日常生活においても挨拶は大切なものです。今でも私は授業の開始時に教室に入ってくる学生の皆さんに必ず挨拶をしており、毎回少しずつ心を開いてくれる様子にうれしさを感じています。皆さんも一緒に「挨拶キャンペーン」をして多くの人を笑顔にしていきませんか？

## Follow up lesson

お名前を添える以外に、より気持ちが伝わる挨拶の仕方を研究してみましょう。

## Lesson 7 相手の表情は自分の表情の鏡

表情は漢字が表す通り、感情が表に出るという意味です。人には「喜怒哀楽」という感情がありますので、それらは顔のみならず声、目を通して表現されることは既に第一章で学びました。

では改めて顔の表情からみていきましょう。皆さんは、これまで自分の顔の表情を意識したことはありますか？　最近はＳＮＳで昔よりは自分の顔を写真や動画に残すことが多くなったようです。自分が一番素敵に見える表情をそれぞれの人が分かってきているように思います。初対面の時にはまず相手の顔を見るでしょう。その時に素敵な笑顔ができていれば、好印象を与えることができますので常に意識していきましょう。

コロナ禍において私たちは長期間マスクを着用せざるをえない状況となりました。目元だけしか見えていない状況では、相手がどのような表情をしているかが分かりづらくコミュニケーションも取りづらいものでした。またマスクで隠れている部分の筋肉を意識しなくなり、口角が下がりがちになり、顔の表情が乏しくなってしまっている方もいるかもしれません。今一度、目は縦にしっかりと開き、口は横へ口角をキュッとあげて、顔の筋肉を活性化していきましょう。

「人の顔色をうかがう」という定型句があるように、自分の表情は自分が思っている以上に、相手へ大きな影響を与えているものです。そこで気をつけていきたいのが、意識していない時の表情です。口を開けたままになっていたり、口角が下がってへの字口になってしまっている時があります。本人は真剣に何かを考えているのかもしれませんが、見る側からしたら、不機嫌に見えるかもしれませんし、怒っているように思われることもあります。特にサービスパーソンの方は、お客さまから常に見られていると意識しましょう。

「相手の表情は自分の表情の鏡」とも言われます。つまり自分の表情は鏡のように相手に映り影響を与えますので、お客さまに笑顔になってもらいたいと思ったら、自分が笑顔になることが必要ということです。私にもこのことを実感した出来事がありました。グランドスタッフは手荷物返却所で手荷物の修理案内などトラブル対応をする業務があります。お客さまの感情としてはマイナスの状態でスタッフが対応することになります。そのような状況ではありましたが、私は最後にはお客さまに笑顔になってほしいと思って対応していました。しかし笑顔になってくださる方はほとんどいらっしゃいませんでした。ある時、私は鏡の前でお客さまへの対応をロールプレイしてみました。その時の私は眉間にシワを寄せた険しい表情になっていました。そしてお客さまが笑顔にならない理由がすぐに分かったのです。眉間にシワを寄せて対応している私の表情を見て、お客さまが笑顔になるはずはないのです！ もちろん謝罪の場には笑顔はふさわしくありませんので、最後は穏やかな表情でお見送りするようにしたところ、少しずつお客さまの表情が変わってきたことを感じました。自分の表情は相手に影響を与えるものだとつくづく実感したものです。皆さんもまずは自分がどのような表情をしているのか意識することから始めていきましょう。

## *Follow up lesson*

鏡で自分の顔の表情を客観的に見てみましょう。

## *Lesson* 8　声に気持ちを込める

空港で多く流れるアナウンスは旅行気分をさらに高めてくれるものになりますね。アナウンスや電話応対は声だけで伝えることになりますので、対面での接客とはまた違った難しさがあります。アナウンスに限らず声に気持ちを込めて表情豊かにすると感情が伝わり、コミュニケーションがよりスムーズになります。対面で話している時と、電話を通して顔が見えない状態で話をした時と異なる印象を受けたことはありませんか？　普段の生活の中では、目から入ってくる情報に重きがおかれて気づきませんが、意外にも声はその人の感情がしっかり現れているものでもあります。

アナウンスや電話応対をする場合は、顔の表情がお互い見えない状態になりますが、目の前に伝えたい人がいるとイメージすると感情をこめやすいものです。そして笑顔からはやさしい声が出ます。これを「笑声（えごえ）」ということは既にお伝えした通りです。声だけで伝える場合は、いつも以上に分かりやすく、ゆっくりと伝えることが大切です。私は少し耳の遠いお年寄りへ語りかけるようなイメージをしながら話をしていました。皆さんであれば、自分のおじいちゃん、おばあちゃんを思い浮かべるとよいかもしれませんね。そして見られていないからといって、気を抜いて、姿勢が悪かったりしてもそれが不思議と声の表情として相手に伝わってしまいますから、気を付けていきましょう。

空港や百貨店などのアナウンスは訓練を受けた方が担当しますのでとても上手だと感じます。電車やバスなどの公共交通機関の案内アナウンスは、緊急時などお客さまに意識を向けてもらわないといけませんのでまた違った難しさがあるようです。以前、バスドライバーの方の研修をした時に、バス車内での忘れ物の注意喚起のアナウンスをしているが状況があまり改善されなかったため、より効果的な言い回しを教えてほしいとアドバイスを求められました。この時に私がお伝えしたことは、言い回しを変更するよりも、より気持ちを込めてアナウンスを行うということでした。ドライバーさん自身が本当に状況の改善を願ってアナウンスを行っているのか、ただそのアナウンス文を読んでいるだけなのかで伝わり方が全く異なり、利用者が気を付けるかどうかが変わってくると思うのです。

気持ちがこもっていない声の表情は単調で起伏のない「モノトーン」であることが多いです。その場合は口がほとんど開いていない状態で発声をしていることが多いようです。声の表情を豊かにするためにはプロのアナウンサーやキャスターの話し方をお手本にしてまねてみることもよい練習になりますよ。声に表情を持たせて、より感じのいい、スムーズなコミュニケーションを目指していきましょう。

## Follow up lesson

自分の話している声を録音して聞いて、声の表情を確認してみましょう！

## Lesson 9 言葉遣いは心遣い

大学教員に着任したばかりの頃に驚いたのが、学生の皆さんの言葉遣いの乱れでした。もちろんすべてではありませんが、お世辞にも品があるとは思えず軽い衝撃を受けました。しかし学生と過ごしていると、言葉遣いに苦手意識を持っており、ほとんどの学生が正しく、きれいな言葉遣いを話せるようになりたいと思っていることが分かりました。人は家族や友達などが使っている言葉をそのまま自分のものとしてしまうことが多いです。最近はメディアの影響も大きいのか、丁寧でない言葉遣いが個性とみなされている風潮も感じます。長年使っている言葉を修正することは難しいからこそ、若いうちに正しい言葉遣いを身につけてほしいのです。

敬語のみならず、言葉の選び方も大切です。専門的な仕事をしている方に多いのが、専門用語をつい口にしてしまうことです。エアライン業界も例外ではなく、スタッフ同士では日常的に専門用語で会話をしているため、お客さまへもうっかり専門用語を使ってしまうことがあります。自分が話しやすい言葉ではなく、相手がすぐ理解できるような言葉を選ぶことが大切ですね。接客のみならず、教える立場にいても同様です。

例えば、私自身は授業でエアライン関連のものを担当しますが、最初の頃は専門用語を無意識に使ってしまっていることがありました。授業後に学生から意味が分からなかった用語があったとコメントをもらい反省をしたものです。人は分からない言葉を連発されると不快な気持ちになるものですから、相手がすぐ理解できるような分かりやすい言葉に言い換えて伝えることが大切です。特に飛行機を利用することに慣れていないお客さまへのご案内は気をつけなければなりませんでした。例えば、「搭乗ゲート」という言葉を一つとっても、空港を使い慣れない方には理解が難しいと感じられることがあります。別の表現に言い換えて「駅の改札のようなところ」「席番号の入った券を機械に通すところ」など、最大限に分かりやすく伝えたこともあります。一つのものを三つぐらいに言い換えて表現できる言葉を使えるようにしておくとよいかもしれません。特に情報技術関係はカタカナの専門用語が多く、苦手意識を持っている人が多いようです。そのような業界にいる方で、お客さまに説明をしなければならない時は、言葉の選び方に特に配慮が必要ですね。

言葉遣いの本質は単に言葉の選択にあるのではないと私は思います。相手に敬意を伝えるための伝え方を考えるという「心」がその選択の基礎にあるかどうかが最も大切でしょう。「心」があればおのずから分かりやすい言葉が選ばれるのではないでしょうか。

## Follow up lesson

自分が分からなかった言葉があれば、調べて別の表現を考えてみましょう。

## Lesson 10 気をつけたい伝え方

外国人のお客さまへの対応をする際、日本語がよく分からない場合はゆっくり、はっきり話して伝えるのが一般的です。敬語を使うと余計に理解が難しくなってしまう場合があります。分かりやすい日本語にしますが、注意しないと小さな子供に話しているように聞こえ、時には失礼な印象を与えてしまう場合があり、実際にお客さまからお叱りを受けたことがあります。これは十分気をつけたいところです。

またお客さまのいらっしゃらない場所でのスタッフ間のやり取りでお客さまについて話をする時も気をつけましょう。よく車椅子を利用されているお客さまのことを、「車椅子の人」と言ってしまうことがあります。「車椅子をご利用のお客さま」とするのが表現としてふさわしいですね。杖を利用されている方のことを「杖の人」やチキン料理を注文した方を「チキンの人」などと省略していることがありますが、目の前にしていなくても、敬意を払うことを大切にし、今一度言葉選びに気をつけていきましょう。

言葉は選び方次第で大きく印象が変わります。私の経験ではお客さまがおっしゃったことを復唱する時に、「○○ですか」とするより「○○ですね」と承認するようにすると安心される感じがしました。「○○ですか」とすると、「え？」という表情をされることが多かったからです。受け止められずに、その次に否定的な言葉が返ってきそうな気がしてしまうのかもしれません。たった一文字で印象が変わりますので、意識していくとよいですよ。

言葉の語尾に関しては、フライトの遅延や欠航があった場合、お客さまはスタッフの言葉を非常に細かいところまで気にされます。例えば「まだ状況は分かりませんが、恐らく○○になると思います」とお伝えすれば、「思うってどういうことですか？」「あなたの考えでしょうか？ 事実を教えてください」「思うでは困るのです」と非常に神経質に受け止められます。不確かな情報、伝え方はかえってお客さまを不安にさせることがあります。本当に言葉、伝え方は難しいですね。だからこそ言葉を一つ一つ慎重に選び伝えていきましょう。

# Follow up lesson

サービスを受ける側になった時に、気になった言葉遣いがあれば振り返ってみましょう。

## グランドスタッフは専門用語が多い？

エアライン業界といえば専門用語と言われるぐらい、会社や空港をアルファベットで表す２レターコードや３レターコードをはじめ、業務中の会話もとにかくカタカナ語が多いのが特徴です。新人の時、初日の業務開始前に行う打ち合わせ（ブリーフィング）では、本当に何を言っているのかがほとんど分からず、頭の中に？が沢山湧いてくるのみでした。それぐらい専門用語ばかりでした。

新人の時には、「OJT」（On the Job Training・オー・ジェイ・ティー）という方法で、先輩についてもらいトレーニングを行います。その先輩が話している言葉でさえ専門用語が混じりますので、それを一つ一つ覚えていったものです。「アサイン（その日の業務）確認して」「VOID（ボイド・破棄）しておいて」「この便はオンスケ（定時出発）です」など、中にはスペルも独特のものがあります。迅速に伝えるために、Flight は FLT、COUNTER は CNTR など母音を省略した表記にするものもあります。慣れてきてしまえば、とても便利なものです。そして慣れてくると気をつけなければならないのが、お客さまに対してその用語を使用してしまうということです。これは気をつけていきたいものですね。航空ファンの方はむしろ、その用語を使ってのやりとりを好まれる方もいらっしゃいますので、その場に合わせて専門用語は使っていく必要がありますね。

## Lesson 11 普段の立ち居振る舞いを見直す

大学教員となって間もない頃、授業で学生の皆さんにレポートを提出してもらう機会がありました。多くの学生がレポートを手にして私のもとにやってきます。何名かの学生が私の目を見ず、片手で押し付けるようにレポートを渡してきたのです。この時に「失礼な学生だな」と正直感じました。それと同時に私に対して悪意があり、意図的にそのような振る舞いをしているのかしら？と思ったのです。しかしその学生が提出したレポートを読んでみると、私の授業内容についての前向きなコメントが書かれており、私は一瞬頭の中に疑問が沢山浮かびました。後になって気づいたことは、その立ち居振る舞いはその学生にとっては「普段通り」のもので、全く悪意はなかったということです。自分が普段している立ち居振る舞いで、無意識に他の人を不快にさせ、自分の印象を悪くしているというのは、もったいないことだと感じました。しかし思い返してみれば私もグランドスタッフになって立ち居振る舞いを学ぶまでは意識したこともありませんでしたし、大学生の時は詳しく教えてもらったこともありませんでした。ひょっとしたら私自身も普段何気なくしている立ち居振る舞いで、相手にマイナスのイメージを与えてきたことが多くあったかもしれません。皆さんにはそのような状況になることは避けてほしいですから、ここでは最低限意識をしていきたい立ち居振る舞いについてお伝えします。

基本の姿勢、お辞儀などはよくマナー講座で扱われるものだと思います。意外に人が見ているのが、気を抜いた時である座り姿勢です。長時間椅子に座る時以外は、座面の後ろ三分の一は空けて座り、背もたれにもたれず、背筋をぴんと伸ばすと美しいです。そして特に女性は脚元を意識しましょう。電車に乗っていても、大変素敵な方なのに膝（ひざ）が開いている……！というシーンを時々見かけます。膝が開いてしまうとそれだけで台無しです！　就職活動などでスーツでジャケットとタイトスカートを着用する場合は膝から下がよく見えますので特に配慮が必要です。膝を揃えることに関しては、意識すればすぐできる……と思いがちですが、結構筋肉がいりますし、意識していないと難しいものですよ。膝がそろい、姿勢が整うと、緊張感を持てて自然にすべての振る舞いが整ってきますよ。

そして身体で一番働いている「手」をより意識していくことも立ち居振る舞いを美しく見せるのに効果的であることは、第一章でお伝えしました。普段何気なくしている立ち居振る舞いを、一時停止して観察してみるのもいいですね。もっと美しく持つことができないか、鏡の前で研究してみましょう。一つ一つ丁寧さを意識すると、慌ただしい状況になったときに、立ち居振る舞いに優雅さが生まれ、雑な印象を与えることがなくなります。短時間で対応しなければならないチェックイン時も、お客さまからパスポートやスーツケースを受け取るその手が自然に丁寧になり、安心感を与えることができます。まずは自分の普段行っている立ち居振る舞いを見直すことから始めてみましょう。

## Follow up lesson

鏡の前で美しく見える立ち居振る舞いを研究してみましょう。

## Lesson 12 まずは謝罪から

接客というと、お客さまが笑顔になり喜んでくださることにうれしさややりがいを感じるものです。しかし実際はお客さまから厳しいご意見をいただくこともあり、その対応について悩むことも多いと思います。ご意見やお叱りをくださる方ほど大切なお客さまだと頭では分かっていても、強い口調で言われてしまうとやはり傷ついてしまうこともあります。私自身、入社して間もない頃は気持ちの切り替えができずに、数日間引きずってしまうこともありました。そんな時に母親から自分はその会社を代表してご意見をいただいており、個人を否定されているわけではないというアドバイスを受けてからは少しずつ落ち着いて対応ができるようになりました。

サービス現場でのトラブル対応のファーストステップとしてはどうすべきでしょうか。私が新人の頃に、対応に失敗したことがあります。そこで学んだ教訓は「お客さまの気持ちに寄り添い、言い分をしっかりお聴きしてから謝罪する」ということです。

グランドスタッフには手荷物返却所での荷物の未着や破損などのトラブル対応を行う業務があります。ある時、ホノルル便で到着された新婚旅行帰りと思われる若いご夫婦から「このダンボール、濡れているんだけどどうして？」と声をかけられました。お土産用にボックス買いされたマカダミアナッツチョコレートのダンボールが、濡れた状態で飛行機から取り下ろされていたのです。お客さまは少々ご立腹のご様子でした。私は「どうしてダンボールが濡れているの？」と聞かれたため、緊張しながらも一生懸命考えられる状況の説明をしました。そんな私の対応に、お客さまのいら立ちが募ったのでしょう。「あなた、さっきから聞いていれば説明ばかりで、謝罪の一つもないじゃないか！」と、強い口調でおっしゃったのです。私は自分なりに精一杯丁寧に対応していましたので、突然のお客さまの様子の変化と強い口調に驚き、その場で固まってしまい大粒の涙を流してしまったのです。その様子を見た先輩がすぐに駆けつけ、私は対応から外されました。先輩は「お客さま、不快な思いをさせてしまい申し訳ございません。すぐに新しいダンボールをご用意しますので、そちらに詰め替えます」と謝罪した後、すぐにダンボールを準備し、対応されました。幸い、中身は濡れておらず無事でしたので、お客さまも落ち着かれ、最終的には「ありがとう」とお礼をおっしゃって、空港を後にされました。さあ、私はどうすべきだったのでしょう。

ダンボールが濡れた原因は自然現象かも知れず、エアラインに非があるのか、どうかは分かりません。楽しかった新婚旅行で沢山購入されたお土産を入れたダンボールが濡れている、ひょっとして全部ダメになってしまっていないか……。どうしてくれるんだ!!　という、お客さまの焦りと怒りの気持ちに私は寄り添えていませんでした。濡れていた原因はどうであれ、お客さまにご心配をおかけし、不快な思いをさせたのは事実ですから、まずはそのことに対して謝罪すべきだったのです。

その後、多くのトラブル対応を経験しましたが、まずは「もし自分がお客さまの立場だったら、特に怒りや不満の感情をどう感じるだろうか」ということを必ず考えるようにしました。人は頭では理解できても感情としては折り合いをつけることができない場合もあります。説明ばかりでは駄目な時もあるのです。皆さんもトラブル対応をする機会があった場合は、まずは感情的になっているお客さまの気持ち、言い分をしっかりと受け止めて、寄り添うことから始めてみましょう。

## Follow up lesson

トラブル対応をした経験があれば、その時の対応を振り返ってみましょう。

## Lesson 13 教養の大切さ

空港のグランドスタッフ業務で楽しいのは、日本にいながらも多くの国の方にお会いし、その文化に触れることができることです。エアラインや行き先によってお客さまは日本人が多いか、外国人が多いかは異なります。言葉でのコミュニケーションはもちろんですが、日本人とは異なる反応や考え方に触れる機会が多く大変勉強になりました。接客に携わる人ではなくても、訪日外国人が多くなってきている状況では、一般的に文化や宗教的な教養も必要となってきます。

グランドスタッフ時代に、タイ・バンコク線のチェックインを担当していました。タイといえば仏教の国であり、日本とは異なる戒律の厳しい上座部仏教が信仰されています。特に厳しい修行を積む僧侶は深く尊敬される存在であり、女性が僧侶に触れたり、気安く話しかけてはいけません。ある時、僧侶の方がチェックインカウンターにいらっしゃいました。カウンターには女性スタッフしかいなかったため、すぐに男性スタッフに交代してチェックインを行いました。隣の席は女性が座ることがないように配慮し、席に余裕があるようであれば可能な限り隣席を空けておくこともあります。保安検査場や搭乗ゲート、機内も男性のスタッフや客室乗務員が対応できるようきめ細やかな配慮が必要です。宗教絡みでこのような対応が必要であるということを知らなかった私は、ただその様子をカウンターから見ているのみでした。

また今日（こんにち）イスラム教徒、ヒンズー教徒の方についての理解も必要になってきています。特に食べ物に関しては、イスラム教は豚肉、ヒンズー教は牛肉を食べることを禁止しています。イスラム教ではアルコールも禁止されていますので、飲料のみならず調味料などにも注意が必要です。ちなみにエアラインで用意されている機内食には各宗教へ対応した特別食があるのですよ。特に宗教上のことは対応を間違えると大きなトラブルに発展してしまいます。このような教養は第一章でお伝えしたプロトコール（国際儀礼、外交儀礼）といい、分かりやすく表現すれば、外国人と接するときのマナーということです。特に外国人と接する機会の多い人は学んでおきたいものです。

もう少し身近な例をとると各年代の方が興味を持たれていることについても教養を身につけておくことをおすすめいたします。例えば空港のラウンジで業務をしていた時は、ご利用のお客さまはビジネスマンが多くいらっしゃいました。ラウンジ内ではお酒を飲まれるお客さまも多く、銘柄や産地などに詳しい方が多くいらっしゃいました。日頃の仕事から少し解放されるひとときを街のバーの感覚でラウンジのスタッフとお酒についての会話を楽しみたいと思っていらっしゃるようにも見受けられました。ラウンジでご用意しているアルコール類についての最低限の知識はあっても、それ以上に会話を発展させるには、自分で日頃から勉強をすることが必要です。お酒は飲まなくても、お酒を話題にした会話ができるぐらいの教養を身につけておくとよいですね。あとはゴルフ、映画、ドラマ、旅行などの娯楽系も話題にして楽しいものですので、ある程度教養、知識として身についていると会話の幅が広がります。

サービスパーソンとして、専門的な知識を身につけることに重きをおいてしまいがちですが、幅広い教養を身につけると、一歩進んだサービスが提供できますよ。

# Follow up lesson

お客様との会話でよく話題になることを詳しく調べてみましょう。

Lesson 14

## お客さま心理

エアラインには、ファーストクラス、ビジネスクラスなどいわゆる上位クラスをご利用のお客さまがいらっしゃることもあり、サービスに対する期待値が非常に高いことを感じていました。期待通りのサービスを提供したとしても、それでは普通と受け止められます。私が新人の時に、「サービスはお風呂と同じ」と教えられました。温泉や銭湯は入った時にお湯が少なかったりすると物足りず、でもお湯が湯船にぴったりでは普通であり、お湯が湯船からあふれるから贅沢な気持ちになり満足するという例えです。

エアラインにはマイレージサービスという搭乗回数や飛行距離に応じたマイル（ポイント）を貯めることができるサービスがあります。多くのご利用があるお客さまにはステイタスが与えられラウンジ利用などの特別なサービスを受けることができます。その上級会員のお客さまは、チェックインカウンターで会員証でもあるステイタスカード提示をしてくださいます。ステイタスを獲得するために意図的にそのエアラインを利用し、やっとの思いで手に入れたステイタスカードを提示できることは、ある意味お客さまにとってうれしい瞬間であると思うのです。しかし当時、新人だった私はそのようなお客さまの気持ちをしっかりと理解できていませんでした。

お客さまの会員番号は既にチェックインのシステムに登録され、ステイタスはカードを提示されなくても情報は把握できたため、その手間を省くことこそがよいサービスだと思っていました。（リピーターの方はいわゆる「顔パス」を好まれるかもしれませんが）しかし、ある時にお客さまからステイタスカードへの思いをお聞きしてからは、丁重にカードを拝見するようにしました。するとお客さまからこれまでとは異なる反応がありました。「獲得するために、昨年はあらゆる移動で飛行機を使ったんだよ！」「今年やっと獲得できたんだよ！」と大変うれしそうにお話される方が多くいらっしゃいました。本当はこのような気持ちを私たちスタッフと共有されたかったのだと感じた瞬間でした。

お客さま心理として「特別に扱われたい」というものがあることをグランドスタッフの時に受けた教育で学びました。私自身も二十代の頃にはステイタスというものは意識もしたことがなかったですが、年齢を重ねるとマイレージはもちろん、クレジットカードなどステイタスの高いものを持つと、それなりのサービスが受けられるということの魅力を理解できるようになってきました。またその他のお客さま心理として「優越感を感じたい心理」があります。特別カウンターでのチェックインや優先搭乗、優先的にスーツケースなどの荷物の返却を受けるサービスなどは、高いステイタスを得たからこそ受けられるサービスです。その特別感、優越感を感じたいというお客さま心理を理解した上で、接客することが大切だと学びました。

経済的に余裕がある人以外は、普段は自分自身が上位クラス利用の立場になってサービスを経験してみることが難しいかもしれませんが、時には投資と思って一年に一度は新幹線のグリーン車やエアラインの上位クラスを利用したり、ホテルのクラブフロアに宿泊してみることもよい経験になります。そこでの「特別感」のある体験を通して、お客さま心理を自分に置き換えて理解でき、その後のサービスに活かせることが多くあると思いますよ。つまり上位クラスのサービスを提供する側になったら、サービスを受ける側になって体験してみることも勉強として必要だということです。

## Follow up lesson

マイレージ、ポイントやステイタスカードのサービスについて詳しく調べてみましょう。

Lesson 15

## 初心忘るべからず

能の大成者として知られる世阿弥の名言でもある「初心忘るべからず」[*7]ということですが、同じことを繰り返しているとどうしても「慣れ」が出てきてしまうのが人間です。グランドスタッフに限らず、仕事は基本的に同じことの繰り返しではないでしょうか? スポーツも基本練習はいつも同じで、その一つ一つに気持ちをこめて取り組むかどうかが、技術やマインドの差となりアマチュアとプロとの違いになると私は考えています。

グランドスタッフの業務をしているとお客さまからお褒めの言葉やお手紙をいただくことがあります。それは入社年次に関係ありません。入社してすぐの新人がお褒めの言葉をいただくこともあります。長年経験を重ねても、初心を忘れずに取り組んでいるスタッフもいれば、気がゆるんでしまい、単なる作業と化してしまう人もいます。自分では気づいていないかもしれませんが、お客さまから見るとそれはすぐに分かってしまうものです。

私が新人の頃、機内の忘れ物を取りに行ってほしいと業務連絡があり、対応したことがあります。お客さまは長い時間お待ちになっており、疲れからか少し機嫌が悪くなってきてしまっていたそうです。私のもとにはとにかく急ぐようにと何度も無線で連絡が入り、途中走りながら、忘れ物を手にして必死にお客さまのもとへ向かいました。ようやくお客さまの姿が見えてきたところで、

＊7　世阿弥著『風姿花伝』より。

私は靴が脱げてしまい転びそうになってしまったのです。あまりにも必死な私の姿をみて、お客さまは「そんなに必死になって持ってきてくれてありがとう」と、最後には笑顔になりお礼をおっしゃってくださいました。一生懸命に対応をしていれば、おのずとその気持ちが伝わるということです。

そんな私ですが、数年後に総務部へ異動となり、お客さまからの問い合わせの電話を受けたことがありました。現場のスタッフがそのお客さまへ間違い電話をしてしまい、その時の対応が失礼なものであったというお叱りの内容でした。私はその時、忙しく仕事をしていましたので、正直そのお客さまへの対応を、現場の担当者に引き継ぎ早く終わらせたいと思ってしまっていました。その気持ちがお客さまに伝わり、「あなたこの電話を面倒だと思って対応されていますよね？」と指摘をされてしまいました。奇しくもその日はちょうど私の入社日にあたる日でしたので、何らかの警鐘（けいしょう）だったのかもしれません。仕事に対する心構えができてこそ、ホスピタリティが磨かれ、よりよいサービスをお客さまへ提供できるものと私は考えます。常に何のためにこの仕事についたのかを確認し、今この仕事ができていることへの感謝の気持ちや、初心を忘れずに仕事に従事していきたいものです。

# Follow up lesson

初心を振り返ってみましょう。

## Lesson 16 小さな気づきを大切にする

グランドスタッフ時代に新人教育を担当していた時のことです。学校を卒業したばかりの学生と社会人の大きな違いの一つに「気づく感度」がありました。新人たちはグランドスタッフになったら、お客さまのご要望を先読みした、一歩先のサービスを提供することを目標にしていました。

もともと細かいことにまでよく気づくことができる人もいれば、そうでない人もいます。その感性を磨くことはなかなか難しいことを実感したものです。ホスピタリティをより磨きたい人、よりよいサービスを提供したいと思うのであれば、先読みする力や気づく感度を養い、磨いていくことが必要だと私は思います。

新人教育の話に戻します。教育中にインストラクターである私が大きな荷物を持っていたため、教室のドアが開けづらい状況の時がありました。新人たちはその様子を眺めていても、手伝おうと席を立つ人はいませんでした。中には私が教室に入ってきたことにさえ気がついていない新人もいました。信じられないような話ですが、これが現実でした。学生時代は「お客さま」意識で過ごしており、誰かに何かをしてもらうことが多く、自ら主体的に人に関わろうとする機会が少ない環境だったかもしれませんし、アルバイトも言われた通りに動いていればできてしまうものだったのかもしれません。そのような意識の新人が制服を着てお客さまを目の前にすれば突然別人のように気づくようになるのでしょうか。そうではないですね。日頃から「気づく感度」を磨き、行動できるように訓練することが大切です。

そこで私は新人教育では「アシスタント制度」をとり入れ、各時間帯に二名ずつインストラクターの補助に入ってもらい主体的に動いてもらう機会を作りました。インストラクターがスムーズに授業ができるように、先読みをして手伝いをしてもらうのです。挨拶の号令はもちろん、資料の配布、空調や照明の調整、ホワイトボードを消すことなどインストラクターが指示をしなくてもできるようにしていくということです。意識を自分ではなく、インストラクターへ向けることができると、これから取る行動を自然とイメージできるようになります。新人たちはインストラクターの私に、小言を言われながらも徐々にその感度を磨いていきます。まずは「もし自分だったら、次はどうしたいだろうか」と意識を相手に向けることができるようになれば、自然と感度が磨かれていくものだと新人たちを見ていて感じたものです。

特にエアラインの場合はお客さまへのサービスだけではなく同時に安全を守ることも大切な業務の一つです。チェックインカウンターやゲートでは、お客さまの様子もさりげなく観察しそのサインに気づけるようにしましょう。歩くことに少し苦労されていたり、カウンターに不自然にもたれかかっているようなお客さまがいらっしゃれば、そのサインを見落とさずに確認することが大切です。

予約記録には入ってはいないけれど、脚が悪くお手伝いが必要なお客さまであることが分かることもあります。小さなお子さまが額に冷却ジェルシートを貼っていれば、発熱している可能性もあります。そのような小さな気づきから得る情報が多くあります。プロフェッショナルといわれる方は、気づく感度が非常に素晴らしく、先読みをする力があります。皆さんもまずは、日頃から相手に意識を向けることからはじめ、小さな気づきを大切にして感性を磨く努力をしていきましょう。

## *Follow up lesson*

接客をする際の小さな気づきを見つけてみましょう。

## Lesson 17 お手伝いの仕方を学ぶ

飛行機はさまざまなお客さまが利用されます。空港で仕事をしていなかったら接する機会のなかったであろうお客さまも多くいらっしゃいました。お手伝いが必要となるご高齢の方、妊娠されている方、車椅子ご利用の方、目や耳の不自由な方は特に飛行機に乗るまでが不安に感じられるようです。不安な気持ちにさせることなくスムーズにご案内できるように心がけていました。しかしお手伝いをしたいという気持ちだけでは対応することが難しいため、障害などに関する正確な知識とお手伝いの仕方を身につけることが必要でした。実際に学生の皆さんに話を聞いてみると、アルバイト先でそのような方々の対応をすることがあっても、かえって迷惑になるのではと考えてしまい最低限のお手伝いしかできないということが多いようです。

そのようなことを聞きましたので、私の担当授業では、高齢者体験キットを装着してもらったり、アイマスクを着用して目の不自由な方の体験とご案内をするという体験学習を取り入れています。特に身近でもあり、自分もいつかなる高齢者の体験をすることは一番印象に残るようです。身体がだるく思うように動けなかったり、耳が遠くなり、白内障（はくないしょう）で視野もはっきりしなくなると、日常生活に支障が出ることを疑似体験を通して理解できるようになり、対応をするには配慮が必要であることも分かります。この体験学習の後には、「お年寄りがレジで時間をかけてお財布からお金を出すことも、焦らずに待てるようになった」「以前よりもやさしい気持ちで対応ができるようになった」「電車の中でも立っているお年寄りの大変さが分かるようになったので、席を譲ることに抵抗がなくなった」という感想を寄せてくれます。

そしてアイマスクを着用して目の不自由な方の疑似体験をすることで、大変な恐怖を抱くことがあることを実感し、ご案内の大切さが理解できるようになります。基本的なご案内の仕方は決して難しいことではなく、自分は斜め前に立ち、肩に片手をおいてもらえばよいのです。ここで気をつけたいことは、必ず声をかけてから身体に触れるということです。目が見えない状態で、いきなり触られるのは、怖いことだからです。学生の皆さんには友達同士で実習を行ってもらいますが、思うようにご案内できないことで、途中で腕を引っ張ってしまったり、乱暴に腕をつかんでしまうこともよくあります。相手がお客さまであればそのようにはすべきではありませんね。いつも以上に気をつけて、丁寧に対応していくと、それがそのまま安心感へつながります。

また耳が不自由な方も時々お見かけすることがあるのではないでしょうか。私の経験からすると、活動的な方が多い印象です。障害の程度は人ぞれぞれで、残っている聴力を使いコミュニケーションを取る方、相手の口の動きを読み取る口話（こうわ）という方法を補助的に使う方もいらっしゃいます。耳の不自由な方が全員手話を使っているとは限りませんが、挨拶などの基本的な手話を覚えて使えるようにしておくと、いざという時に役に立つと思います。私もグランドスタッフの時に、基本的な手話を学び、それによってお客さまとスムーズにコミュニケーションを取ることができた経験があります。「こんにちは」「いらっしゃいませ」「ありがとうございます」と手話で表現するだけで、お客さまの表情がパッと明るくなり、笑顔になってくださることが多くありました。少しの手話で親しみやすさや安心感を与えることができると思いました。

さまざまなお客さまへの対応の仕方を具体的に学んでいくと、安心感を与えられるようになりますし、接客、サービスによりやりがいを感じられるようになりますよ。

## Follow up lesson

基本的な手話を調べて、練習してみましょう。

## Lesson 18 制服を着るということ

エアライン業界を目指す人にとって、客室乗務員やグランドスタッフの制服は憧れですね。私自身も就職雑誌などでエアラインの制服を見ては、自分が着ている姿をイメージしてワクワクしていたものです。しかしグランドスタッフの制服をはじめて着た時は何だか着せられているような感じがいて、違和感があり落ち着きませんでした。研修を通して制服着用規定を学び、その通りに身だしなみを整えていくと、それなりに見えるので不思議な感じがしました。新人研修中のお昼休みに制服を着てはじめてターミナルを歩いてみて気がついたことは、私服の時とは異なり、お客さまの視線を常に感じるということでした。そしてお客さまから頻繁に声をかけられ、質問をされることが多いと分かりました。お客さまにとっては制服を着ているスタッフは新人もベテランも関係ないからです。新人の私は、研修中でまだ何も分かっていない状態でしたので、声をかけられる度にビクビクしていました。制服を着るということは、私が思っていた以上に責任と自覚が必要であるということに気づいたのです。

制服を着用している客室乗務員は会社の顔として広告塔の役割を担うこともあります。制服を着用している時の立ち居振る舞いはそのまま会社のイメージに直結します。あるエアラインは制服着用時に品位に欠ける立ち居振る舞いをしたり、身だしなみが規定のものでない場合は、一定期間制服着用停止になるときもありました。それぐらい制服というものが大切にされているのです。

制服はほぼ毎日長時間着用するものですから、一般の服よりは丈夫に、機能的にできていますが、きれいな状態を維持するには毎日のお手入れが大切です。グランドスタッフはよく動きますので、袖（そで）や裾（すそ）が汚れていないか、また擦れていないかということまで見る必要があります。意外に盲点なのが「靴」です。毎日の仕事が終わった後に、簡単でいいので埃や汚れを落とし、靴磨きをしておくときれいな状態を維持できます。一般的に制服は貸与されているものですので、大切に扱いたいものです。

また従業員の立場からすると制服のよいところは、プライベートから仕事への気持ちの切り替えがしっかりできるところだと感じます。例えば早朝勤務の時に、少し疲れを感じていても身だしなみを整え、制服に着替えると気持ちが切り替わります。よく先輩から、制服に着替えたらプライベートを忘れて、俳優になりなさいと言われました。制服を着たらもう違う自分になり、グランドスタッフを演じプロに徹しましょうということです。

最初は、まだまだ半人前で着られていたような制服も経験を重ねるうちに不思議なことに徐々に似合うようになってきます。もちろん制服自体は変わっていないのですが、新人はいろいろなことを乗り越えて、成長するからなのでしょうね。これは本当に不思議に感じていました。長い期間きれいに制服を着こなしていけるかどうかは、日頃の仕事に対する意識にかかっています。いろいろな思いのつまった制服だからこそ大切にし、その意味を確認しながら誇りを持って袖を通していきたいものです。

# Follow up lesson

制服に込められている意味、思いを確認してみましょう。

## *Lesson* ⑲ 人から学ぶ

グランドスタッフは接客に関する基礎的なことは教育や訓練で教えてもらえますが、その後のブラッシュアップは現場の仕事を通して学んでいきます。つまり入社後の成長は自分の意識次第ということです。接客に限らず、仕事においてマインドやスキルの磨き方には人それぞれのやり方があると思います。私がしていたのは、仲間のよいところを見て学ぶという方法です。

入社して間もない頃、隣のカウンターでチェックインをしていた同僚が、最後にきれいなお辞儀をしてお客さまをお見送りしているのを見て、すぐに私も真似をして実践をしたことがあります。「今のお辞儀すごくよかったよ！」と同僚へ伝えてお互いに磨き合いをよくしたものです。普段の接客はもちろん、対応が難しいトラブル対応のケースでは、先輩たちから学ぶことが多くありました。新人の私が対応しても、お客さまはなかなか納得されなかったケースも先輩が対応すると、見る見るうちにお客さまの様子が変わっていきましたので、何が自分と違うのかをよく分析していました。

印象に残っていることは多くありますが、今でも時々思い出すのは、ある先輩男性社員の対応です。その先輩は他業種からの出向者で大変温厚で主に到着業務の手荷物トラブルの電話応対を担当されていました。電話越しに長時間お客さまが強い口調で話されているのが受話器からもれ聞こえてきていました。

先輩は落ち着いて誠意をもってお客さまの言い分を全て聴き、お客さまの感情が落ち着くまで聴くことに徹していました。タイミングを見計らって、「〇〇様、こちらからお話ししたいことがあるのですが、よろしいでしょうか?」とお声がけをされました。電話を切った後も、先輩は感情的になることなく、その後の手続きを真摯(しんし)に遂行している姿を見て、さすがだと思ったものです。

また自分が利用者としての立場でされてうれしかったことを、接客に応用して取り入れてみることもよいですね。本当にちょっとしたことでもよいのです。素敵な笑顔やきれいな立ち居振る舞いから、うれしい心遣いまで沢山参考にして学ばせてもらいましょう。以前、連れて行っていただいた一流の和食料理店で、お店の方がさりげなく私を観察していらっしゃったのか、すべての料理のタイミングや量の調整までが完璧なサービスを受けて感動したことがあります。また帰る際も店主の方がさりげなく出口までお見送りに来てくださり、全てが自然な対応で心地がよかったことを覚えています。すばらしいサービスは計算しつくされてはいるのですが、それを気づかせないほど自然であるということを経験できた貴重な機会で、そこから学ぶことが多くありました。

日頃の小さなことからでも、人から常に学ぶことを心がけブラッシュアップしていきたいものです。

# Follow up lesson

身近にいる方の見習いたいところを見つけてみましょう。

## Lesson 20 まずやってみる

ここまで読まれた皆さんは、そろそろ「やってみようかな」と感じてきていらっしゃることと思います。その気持ち、とても大切です！　この本を閉じたら、ぜひはじめの一歩をスタートしてほしいのです。

ホスピタリティは知識を身につければよいのではなく、大切なことはまず実践してみるということです。私からは知識や体験談を伝えることはできますが、それを実践するかどうかは皆さん次第です。よく納得しないと行動に移せないという学生さんもいます。（私もどちらかといえばそのタイプですが……）例えば「挨拶」について伝えた後に、「本当に心を込めただけで人の態度が変わるのですか？」「それは先生だからそうなるのでないのですか？」と納得できない様子を見せることもあります。「挨拶」に限らず、ホスピタリティやマナーを学ぶとどのように役に立つのかなど、自分に得になることではないとやりたくないと考えてしまうこともあるようです。そんな時は私からは「とにかくやってみましょう。そうしたら全て分かりますよ」と伝えています。実際に挨拶をし続けてみれば、自分と周りの人にどのような変化が起きるのかが結果となって現れますから、自然とその大切さが分かるのです。やってみて分かることが沢山ありますから、とにかく私にだまされたと思って実践をしてほしいのです。そして最初からうまくやろうとせずに失敗をしてもよいと思っています。本書で紹介しているように、私も失敗を沢山することで多くのことを学ぶことができたからです。大切さや意味が最初は分からないからこそ、実践を通してそれらを見出していくことが私は大切と考えています。

私自身も茶道を習い始めた時は、ただただ先生に教わるままに手を動かしていただけで、自分が何をしているのか、意味はほとんど分かりませんでした。しばらくはお稽古が苦痛に感じるほどでした。しかし継続をしていくことで一つ一つの動きの意味が、少しずつ分かるようになってきました。それは言葉で説明されたからというものではなく、繰り返し行うことで感覚として分かってくる、気づかされるというものでした。ホスピタリティも同じだと思います。

ホスピタリティの授業の最後には、学生の皆さんにホスピタリティを日常生活の中で実践をしてみて、変化したことをレポートに書いてもらうようにしています。それを読むと、授業を受けて教室を出た後に、日常生活やアルバイトで学んだことをそれぞれ実践してくれていたことが分かります。実践することでうれしさを感じる機会が増え、人に関わることが楽しくなることはもちろんのこと、周りからも変化したと言われることでうれしく感じ、ホスピタリティを実践するよい循環ができているようでした。毎週授業で会うたびに、イキイキ度合いがアップしてくる学生を何人も見てきました。さあ、学んだことを知識で終わらせず、実践をしてその先にある世界を一緒に体感しましょう！

# Follow up lesson

まずは何から実践するのかを決めましょう！

## Transit Cafe 4

### エアライン業界あるある

先程の職業病に加えて、いわゆるエアライン業界によくあることをあげてみます。客室乗務員やグランドスタッフであることは、私服であってもヘアカラーやメイク、持っているもの、立ち居振る舞いなどで何となく分かるというものです。以前プライベートで国内の他空港を利用した際に、ロビーを歩いていたらその空港スタッフから「お疲れ様です！」と声をかけらたことが何度もありました。私服であってもどうも同じ業界で仕事をしていると分かったようです。空港近辺であれば、場所柄すぐにスタッフとわかりますが、街中でも時々ステイをしている（乗務で現地に滞在中の）客室乗務員を見かけることもあります。先日、海外へ行った際にも客室乗務員を見かけました。何となく業界の関係者と分かるというのは、きっと他の業界でも同じようにあるのでしょうね。学生の皆さんからするとやはり分かりづらいようで、これは働いたことのある人ならではの感性なのかもしれないと感じることの１つです。

あとは血液型のＢ型が多いというのはよく聞く話です。もちろん血液検査をして統計を取っているわけではありませんが、私が知っている限りでは、仕事仲間はＢ型が圧倒的に多かったですし、よく聞く話です。ちなみに私もＢ型です！ 本当かどうかは永遠の謎かもしれませんが、これこそ「業界あるある」でよく盛り上がる話の一つです。

# 第3章

# 未来の皆さんへ

ここではコロナ禍を経てサービスの形式や考え方が変わりつつある今後のホスピタリティやマナーについて考えていきます。また日頃多くの学生の皆さんと接している中で、私が感じていることや、未来の皆さんへの提言としてお伝えしたいことを書いていきます。皆さんのホスピタリティや人間性をさらに磨いていくためのものになれば幸いです。

## 大切にしたい直接のコミュニケーション

電車に乗ればほとんどの人が携帯電話を手にしてＳＮＳでメッセージのやり取りをしていることが日常の風景となりました。会社にいてもメールでのやり取りが多いですし、友人とはＬＩＮＥやダイレクトメッセージなど、さまざまなツールを通してコミュニケーションをとる世の中になりました。コロナ禍を経てオンラインツールを使うことも多くなり、便利さを感じる一方で気がつけば対面で直接のコミュニケーションをとる機会が以前よりも減ってきている感じもします。

私が日頃接している若い世代である学生の皆さんはチームで何かプロジェクトの取り組みをする際は直接ミーティングをするより、ＬＩＮＥグループを作って文字でやり取りをすることが多いようです。せっかく全員が同じ空間にいるのにほとんど会話をせずに「後日ＬＩＮＥで連絡します」と早々とミーティングが終わってしまったことがあり、正直驚きました。せっかく集まって話ができるのにもかかわらず、それをしないのは大変もったいないことです。文字だけではお互いに思いを伝えることに限界があるように感じます。

直接コミュニケーションをとることで、言葉（文字）だけでは読み取れない思いを相手の表情や態度から感じ取ることができます。文字だけのコミュニケーションの場合、相手からの投げかけに対して多少の時間をかけてのレスポンスになってしまいますが、直接だとすぐに反応が分かり、より活発なやり取りをすることができます。何よりも同じ空間を過ごすことができ、より楽しい時間になります。

一方でSNSでのやり取りに慣れてしまっている人は、人と会うことに対して恐怖を感じることもあるようです。どうしても自分を出したくない、オープンにしたくないという気持ちになってしまうようです。現にオンラインツールでの授業を行なっている際には、カメラをOFFにして自分の姿を相手に見せない学生さんが多くいます。

コロナ禍で人と会うことが制限された時に、私たちは人恋しくなったと思います。人は人を求めるものでもありますので、その原点となる直接のコミュニケーションを改めて大切にしていきたいものです。

## アイコンタクトを大切にしよう

私自身が教員となり十年ほど経ちますが、日々学生の皆さんと接していて感じるのはアイコンタクト、つまり目を見ることが苦手になってきているということです。特にスピーチやプレゼンテーションで人前に立って話す時にそのような様子が伺えます。日常生活の中でも時間があれば携帯電話の画面を見ており普段から人の目を見ることをあまりしていないからか、視線に耐えられずにそれが緊張につながってしまうのかもしれませんね。また直接会ってのコミュニケーションの機会が減ってきていることも、少なからず影響があると感じています。

想像してみましょう。友人に真剣な話をしたいのにもかかわらず、相手がアイコンタクトをしてくれないと自分のことをないがしろにされているような気持ちになるはずです。逆に話し手が下を向いていて全く目を見せないと、熱心さや真剣さが伝わってこないはずです。皆さんの大好きなアーティストのコンサートで、客席に投げてくれる目線にうれしくなった経験がある方もいらっしゃると思います。言葉を交わさなくてもお互いの気持ちを伝える上でアイコンタクトは非常に大切なコミュニケーションツールの一つです。

しかし、いきなり目を見なさいと言っても抵抗を感じるものですね。見られていると思うと逆に緊張してしまいますので、それに負けずに相手へ意識を向けて観察するという気持ちで向き合ってみましょう。人の目に慣れるには、まず自分が鏡の前に立ち、自分の目を見ることで、「目」そのものに慣れてみるのもいいでしょう。

特に大勢の人の前に立つときに大変緊張してしまう方は、まずは相手の首から上のあたりを見つめるようにするとよいですよ。イメージとしては証明写真の範囲というのでしょうか。左右に人が並んでいるようであれば、右から左、折り返してまた右へゆっくり視線を移していきます。広く奥行きのある部屋に人がいる場合は、S字、Z字をなぞるように視線を動かしていくと、まんべんなく視線を投げることができますよ。

アイコンタクトが苦手な人は、まずは日頃から人の目に慣れることから始めてみましょう。そうすれば相手へ思いがしっかりと伝わり、反応が変わってきますよ。

## 公共の場での人への配慮

大勢の人が集まる場所ではその場にいる人たちが気持ちよく過ごせるようにするために、いつも以上に気をつけていきたいものです。お金を支払ってその空間を利用するのであればなおさら、気持ちよく過ごしたいと思うでしょう。私は以前勉強のために新幹線のグリーン車に乗ったことがありますが、その際車内で携帯電話を使い大きな声で長時間会話をしていた方がいらっしゃいました。せっかくのグリーン車でしたが、不快な思いしかせずに大変残念でした。快適さを求めて支払った差額を返してほしいと思ってしまうほどでした。この経験を通して、その場にいる人が快適に気持ちよく過ごせるようにするような配慮を私自身はできる人になりたいと思いました。まさに黄金律の「自分がされていやなことはしない」ということを、公共の場では学び、実践していきたいものです。

公共の場で気をつけていきたいことはあげればいろいろとありますが、多くの人が利用する電車の中のマナーはマナー向上のポスターが掲示されているぐらいですから、意識向上が必要なことと思います。私も普段電車を利用しますが、狭い空間でかつ大勢の人がいますから、ちょっとしたことが気になってしまうものです。混雑時であればなおさらです。

よく見かけるのは携帯電話をのぞき込んでいて、全く周りの様子に気づかずに出入り口の中央に居座っている様子です。駅に停車したときなどは、自分が邪魔になっていないか、お年寄りなど席を譲ってさし上げるべき人がいないかを確認していきたいものです。私も例外ではなく、携帯電話に集中して周りが見えていない時がありますので気をつけています。また背中に背負うリュックが邪魔になり通路がふさがれ、車内を移動できないこともよくあります。時々リュックが顔や身体に当たることもあります。電車内が混雑している時は正面のみならず、背中にも「目」をつけて、後ろの様子を気にしていきましょう。

リュックは状況によりますが荷物棚におく、手に持つなどをするとよいですね。また周りの人に当たってしまった時は「申し訳ございません」という一言があるだけで「イライラ」してしまった気持ちがおさまるものです。

また雨の日には傘の扱いにも気をつけましょう。濡れた傘やカバンで周りの人の洋服を汚さないように電車に乗る際にはタオルで拭き取るなどすることも周りの人への配慮になります。時々話題になる傘の持ち歩き方についても気をつけたいものです。長傘を横にして前後に長く持っていると、後ろにいる人に傘の先が当たってしまうことがあります。ちょうど小さな子供の目の高さになりますし、階段を昇る時などは後ろの人に当たると非常に危険です。持ち歩いている人は悪気があってそのようにしているのではないのでしょうが、気づかずに周りの人を危険な目に遭わせてしまっているのは、マナー以前に大変怖いことです。公共の場では知らないうちに、自分が加害者になってしまうこともありますので、いつも以上に配慮をして行動し、皆が心地よくいられるような言動、立ち居振る舞いを今一度考えていきましょう。

## ＡＩとの共存

コロナ禍を機にぐっと進んだ機械化ですが、将来サービス業に就きたいと考えている人には、ＡＩ（Artificial Intelligence 人工知能）が今後どのように業界に変化をもたらすかが大変気になるところだと思います。私は専門家ではありませんので多くを語ることはしませんが、ホスピタリティ、サービスの視点からＡＩとの共存についてふれていきます。

フロント業務は全てロボットに任せているというホテルもありますね。エアラインを目指している学生からも、将来空港のグランドスタッフ業務が全てＡＩに置き換わり、なくなってしまうのではないかという心配の声があがっています。確かに機械化が進み、チェックインや荷物預けなどはお客さま自身で対応してもらうことがすでに多くなってきている状況です。ＬＣＣ（格安航空会社）などの国内線のチェックインカウンターであればスタッフの配置がされていないことが多いですが、大手航空会社であれば、スタッフが付近にいてお客さまからの個別の問い合わせなどに対応しています。皆さんのような若い世代の人は機械操作は無理なくできますが、年配の方の中には苦手とする方もいらっしゃるためお手伝いが必要です。このようにやはり、空港から全てのグランドスタッフがいなくなるということは可能性として低いと私は考えています。

機械で代用できるものはしてもらい、人がしなければならないことは人が対応するというようにしっかりと分けられていくのかもしれません。つまりそれぞれの強みを活かし、うまく補いながら共存していくことがこれから求められるのではないでしょうか。新しいものを取り入れ、柔軟に対応していけるようにしたいものです。そしてサービスのところで述べたように、やはり最後は人は人を求めるのではないでしょうか。人が対応するところには、よりホスピタリティが求められるようになると考えています。

## 外国人への対応

以前よりもコンビニエンスストアのレジなどで外国人のスタッフが働いている姿をよく見かけるようになりました。今はむしろ、日本人スタッフが働いている方が少ない気さえします。慣れない日本語で一生懸命対応してくれるスタッフもいれば、少しぶっきらぼうに対応をしてくるなどさまざまです。日本は丁寧な接客が一般的になっていますが、日本をよく知らない人とっては日本人の対応と同じようにするのは難しいことです。

日本語能力も十分でないことも多く、コミュニケーションがうまく取れない状況の時に厳しい言葉をかけたり、時間がかかるからといってイライラしてしまう人をよく見かけます。これはとても残念なことです。ホスピタリティを勉強される皆さんは逆の立場だったらどのように感じるのかを考えてほしいのです。

もし皆さんが海外で同じように働くとなったら、言葉も不自由するでしょうし、不安も大きく恐怖すら感じるのではないでしょうか。そんな時に現地の人に厳しい言葉をかけられたら、ショックですし、その国に対してのイメージがどうしても悪くなると思います。日本で仕事をしている外国人への対応は、皆さん個人の印象ではなく、日本の印象となってしまうのです。だからこそ、立場や国籍に関係なく、常に対等で尊敬の気持ちを持って接することが大切だと私は考えています。

本学の学生も留学のプログラムで、就業体験、インターンシップが含まれたものに参加することがあります。そのインターンシップ中に、現地の方から厳しい言葉をかけられることがあれば、私は大変悲しい気持ちになりますし、心配でなりません。だからこそ私自身は外国人スタッフが対応してくれる時、相手がどのような態度でも、気持ちをおおらかに持って、しっかりと目を見て挨拶、お礼をするようにしています。少しでも日本で仕事ができていることが楽しいと思ってほしいですし、日本を好きになってもらいたいからです。訪日外国人が多くなる中、街中でも外国人と接する機会が多くなってきています。自分は日本のイメージを背負っていると思って、一人一人としっかりと向き合い、対応していきたいものです。

## プロトコールを学ぶこと

訪日外国人が多くなってきていることで、観光地では文化の違いによる微笑ましいエピソードもあれば、残念なことにさまざまなトラブルも起きているようです。外国人との交流は言語だけではなく文化や宗教の違いを理解した上でのコミュニケーションが今後さらに必要になってきます。そのような場面で大切になってくる教養がプロトコールに大きく関わっています。第二章でも教養の大切さにはふれました。

より身近な例をあげてみます。海外研修などでホームステイをする際、ホストファミリーとはじめての挨拶をする場合、皆さんはどのようにされますか？日本では挨拶といえば、お辞儀を伴い、場合によっては何度も頭を下げることもあります。しかし海外では相手の目を見て頭を下げずに握手をすることを基本としている国が多くあります。握手をしながら頭を下げたり、両手で相手の手を持つこともあまりなじみません。挨拶一つとっても、文化の違いというものがあるのです。それを理解し、相手の文化を尊重して、自国のものを強制しないことが大切です。いわば「郷に入っては郷に従え」ということです。

また自国のことを知るということもプロトコールです。日本人として伝統的なしきたりを理解し、外国の方にも説明できることは国際化が進む今日(こんにち)において大切なことととされています。プロトコールは学べば学ぶほど、「知っていてよかった」と感じることばかりです。若い世代の皆さんにはプロトコールをぜひ教養の一つとして学んでほしいと思っています。*8

## 仲間とのチームワークを大切にする

お客さまのみならず、働く仲間に対してもホスピタリティは大切なものです。皆さんがサービス業界で仕事をしたいと思うのであれば、個人でホスピタリティを磨く努力をすることはもちろん、働く仲間との関係性もとても大切です。例えば空港のグランドスタッフ業務も飛行機を安全に時間通りに飛ばしたくても一人の努力だけでは達成できません。お客さまとの関わり方はそれぞれの持ち場で違ってきますし、職種を超えて協力し合うことも必要です。全ての仕事はリレー形式でバトンタッチをしながら進めていくものといえます。つまりサービス業はチームワークがとても大切なのです。自分一人だけのことを考えるのではなく、常に次にバトンを渡す相手のことを考えて仕事をすることが大切で

*8　プロトコールについてより詳しく学びたい方は、参考文献にも掲載しております「マナー&プロトコールの基礎知識　第六版」で勉強されることをお勧めします。

す。

私のゼミナールではサービス業を目指す学生が多くおり、ホスピタリティを磨くためにチームで取り組んでもらう活動を多く取り入れています。ゼミナールでのプレゼンテーションの担当決めを行なってもらうことから、大きな行事を企画、運営することまで多岐に渡ります。取りまとめ役やリーダーになった学生は、うまく皆から意見を引き出すことができるか、まとめていけるかも勉強します。自分の主張ばかりすると、チームとしてはまとまっていきませんし、かといって自分の意見を何も言わずにいたら場合によっては不満がたまるばかりになります。皆が同じ方向を向いてまとまっていこうとする気持ちを持つと、一人の時ではできないことを達成することができます。

大学の友人は同じ学科で似た考えや価値観を持っていますので、気が合うのは当然と言えます。仕事をするようになれば、さまざまな経歴を持った人がいますし、年代や国籍が違えばなおさらです。学生の皆さんであれば部活動やサークル活動でチームで取り組む活動を経験されることも今後の役に立つでしょう。

人間ですから他の人の考えに全て賛同することは難しいですが、一つのことに取り組む時の方向性を合わせる努力はしていきたいものです。

## 感謝の気持ちを持つ

感謝の気持ちを持つことは仕事に限らず、人生において本当に大切なことだと思います。私自身は何か自分の中に不平不満の気持ちが生まれてきたときは、全てのことを当たり前だと無自覚に前提してしまっており、感謝の気持ちを忘れていることが多いです。学生の皆さんには感謝の気持ちを持ち、常にお礼をすることを習慣づけてほしいと思っています。

特にさまざまなことに影響を受けやすいエアライン業界は、厳しい状況におかれることもありました。お客さまが毎日チェックインカウンターにお越しになるのは当たり前ではありません。私が入社して間もないころに、アメリカで航空機を使った同時多発テロがありました。それまでは毎日が大変忙しく、どこかそれが当たり前のようになっていました。テロの影響でお客さまが激減し、フライトの多くがキャンセルになりました。グランドスタッフの業務量も少なくなり、人手が余るようになりました。その時にお客さまあっての私たちであることを改めて実感したのです。利用してくださるお客さまがいらっしゃることは当たり前ではないのです。コロナ禍でも、特にサービス業に従事している方々は同様に感じられたのではないでしょうか。

入社して数年経った社員の研修を担当した時のことです。感謝の気持ちを持っている社員とそうでない社員は仕事に対する姿勢に大きな違いが出ていました。さまざまな業務を「任せてもらえて、とても有り難く、やりがいを感じている」という前向きな気持ちで取り組んでいる社員は、やはりイキイキとしていました。一方、「今度はこの業務をやらされる」と感謝の気持ちどころか、不満を口にしてしまう社員もおり、モチベーションも低くなっているように見受けられました。同じ仕事をしていますが、考え方、感じ方が違うと仕事の成果にも差が出てきます。

私自身も例外ではなく、大変なことや忙しい日々が続くと、弱音を吐きたくなったり、不満に感じてしまうことがあります。そんな時は少し立ち止まって、仕事があること、忙しくさせてもらえることはありがたいこと！と考え方を「逆さま」にします。感謝の気持ちをいつも持っているというのは、大変すばらしいことです。それをぜひ持ち続けて全てのことに前向きに取り組んでいってほしいです。その前向きな気持ちが、皆さんの好感度をアップさせ、周りの人を明るくしていくことにつながると私は思います。

## 好きという気持ちを大切に

なぜエアライン業界を目指したのですか？とよく聞かれます。いろいろな理由がありますが、根本にあるものは単純に空港や飛行機が好きだからです！　大学二年生の時に初めて海外へ行った時に空港の何とも言えないワクワクした感じに、理屈ではない、言葉では表せない何かが私の中に生まれました。その「何か」はすぐに「ここで働きたい！」という思いとなりました。

私の学生時代はまだインターネットがほとんど普及していない時でしたから、よく空港へ足を運び、飛行機を眺め、グランドスタッフの仕事の様子を覗き、到着ロビーで降りてくる客室乗務員を一目見たいと待っていました。最後には売店に寄り、ビニールの飛行機やキーホルダーを購入し、部屋に飾ってモチベーションを維持していました。ただただ野球やサッカーなどが好き、その感覚かもしれません。その日から二十五年以上経ってもその気持ちは変わりません。今は業界から離れても、教育というものを通してエアラインと関われることがとても楽しいです。やはり好きという気持ちは原動力になると感じています。皆さんの「好き」を仕事にできる日が来ることを願っています。

# 第４章

# ホスピタリティの先にあるもの

これまでのレッスンを通して、皆さんのホスピタリティに磨きがかかってきたことと思います。ここでは、私自身の接客エピソードを共有しながらホスピタリティを学んだ先にある世界を紹介していきます。

## グランドスタッフの接客

本学には主に客室乗務員とグランドスタッフの業務特性の詳細を学び、比較をしてみるという授業があります。同じお客さまを接客しますが、意外に異なることがありますので私も勉強になっています。

例えばチェックインカウンター業務であれば、グランドスタッフがお客さまの手続きにかけられる時間はどちらかと言えば、短ければ短いほどよいともいえます。長い列を作って、長時間お待たせするということはよくありませんので、必要な手続きを迅速に丁寧に感じよく行うことが求められます。特に海外へ出発されるお客さまの手続きでは、パスポートはもちろんその旅程やビザなどから今回の出発に関するさまざまな情報を得ますので、お客さまのバックグラウンドを知ることになります。中にはビザを取得されこれから海外赴任や留学をする方、真新しいパスポートではじめての海外旅行となる方、ご不幸があり急な渡航が必要となった方などもいらっしゃいます。

またチェックインカウンターでお預けになる荷物やお見送りの方、もちろんご本人の様子などを通して、人生のそれぞれの節目になるシーンに寄り添わせてもらっている感覚にもなります。いろいろな思いでこの日を迎えられていると思うと、グランドスタッフとして何かできないかと思うことも多くありました。この後の旅行、そして生活がスムーズにいくように、そして少しでもその不安が解消するようにひとつひとつ丁寧に、心を込めて手続きをすることで、お客さまへ何かが伝わっていればと思っていました。

　さまざまな接客業がありますが、ここまでお客さまの情報を得た上で関わる職業はあまりないのではないでしょうか。例えば客室乗務員であっても、一部のお客さまの詳細な情報を知ることができますが、お客さまの機内での様子から察した上での接客になると思います。（それがまた客室乗務員の仕事の上での腕の見せ所とも言えますが……）

　出発ロビーでは、お父さまが海外赴任されるため、寂しくて抱きつき大泣きしているお子さまの姿に私も思わず、涙ぐんだこともあります。長期間の海外赴任から帰国されたお客さまのお手伝いを担当した際に、手荷物返却所で荷物の受け取りをしながら、一つ一つの荷物にこれまでのお客さまの生活を感じとることもありました。そしてロビーではお出迎えの方がお待ちで、涙の再会をされるシーンに何度も立ち会ってきました。そのお客さまとはほんの短い時間だけの関わりでしたが、そのような感動的なシーンを共有することができて、本当にありがたいと感じたものです。このような経験ができることが、グランドスタッフの接客の特徴だと私は思います。

## 心に残るエピソード

グランドスタッフのこれまでのことを思い出しながら、目に浮かぶのはお客さまや一緒に働いた仲間の顔です。心に残るエピソードは、大きなものが一つあるのではなく、私の場合はいろいろなシーンに散りばめられているという感じです。

とてもうれしいと感じる瞬間は、お客さまも私自身も笑顔になれる時です。お礼を言われる時でしょうか。グランドスタッフとしてすべき対応をしているだけともいえますが、お客さまにとってそれは不安を解消するものになったのでしょうか、これまでの固い、不安気な表情から、安心されて笑顔になる瞬間はこちらもうれしいものでした。

そしてグランドスタッフとお客さまという関係を超えて、お客さまが私の名前を覚えてくださり、毎回知り合いや家族のように接してくださったり、その心遣いを感じた時がとてもうれしかったです。特にラウンジ業務の時は、何度もご利用があってお名前とお顔が一致してくるようになると、その先はいわゆる「常連さん」のような関係になります。当日ご予約が入っていれば、準備の段階からそのお客さまのことを思い浮かべ、スタッフとも「今日○○様がいらっしゃるね」と会話しています。日頃忙しくされているお客さまが多いため、スタッフとの会話はよいリフレッシュになるようです。お会いすると、前回お会いしてからのお話などをいつも楽しそうにしてくださいます。到着時には、わざわざスタッフに手土産を準備するなど、素敵な心遣いをしてくださるＶＩＰのお客さまもいらっしゃいました。出張中に現地でもいろいろなスタッフと関わり、時間に余裕もないであろう中、そのような対応をしてくださり、私たちも大変感激していました。私たちがお客さまを大切にすることはもちろんですが、逆にお客さまが私たちを大切にしてくださることは、心の交流ができたような気持ちになり大変うれしく心に残るエピソードとなっています。

## 仲間との出会い

サービス業は多くの仲間とチームを組んで仕事をしていきますから、必然的に仲間との関わりが深くなってきます。基本は人との関わりが好きな人たちですから明るく、元気です。退職後も長い付き合いをしている仲間が多くいます。また定期的に同窓会も行い、数年に一度は顔を会わせるという親密ぶりです。空港での仕事は、フライトの遅延や欠航、それに伴う対応がつきものです。時には夜中までの対応になることもあれば、お客さまから厳しい言葉をいただいたりします。ここまで聞くと、大変でいやな仕事……と受け取られそうですが、このような時は一人で対応するのではなく、いつも仲間と一緒だからこそ、乗り越えられるのです。先程の同窓会で顔を合わせれば、皆で大変だった時の話をして、最後には「でも楽しかったよね！」で終わることがよくあります。

女性が多い職場のため、いろいろなことがありませんか？　と聞かれることもあります。数百名が集まれば、その中にはいろいろな人がいます。気の合う人もいれば、苦手な人もいるのはどの職場でも同じではないでしょうか？　私自身は人として生きている限りは人間関係の苦労はありきと考えているので、グランドスタッフだからといって特別にいやな思いをしたりしたことはありません。ミスや失敗をした場合でも、責められたりすることはなく、常に先輩や後輩、同僚にフォローをしてもらい、何とかやってこられました。私自身はとても恵まれた環境で仕事をすることができましたので、グランドスタッフの時の仲間は今でも大切な存在です。この仲間と出会えて、一緒に仕事をすることができたことを幸せに感じています。

# おわりに

最後まで読んでくださいましてありがとうございます。私が大学で担当しているホスピタリティの授業では三つのゴールを目指しています。一つ目はホスピタリティとは何か、自分で理解できるようになること、二つ目はホスピタリティに気づけるようになること、最後はホスピタリティを実践できるようになることです。実際に授業を受けている学生がこの本を復習用として読んでくれている場合と、興味があり手に取って読んでくれている方とがいらっしゃることと思います。いずれにしてもこの三つのゴールを達成するために役に立っていれば嬉しく思います。

本書の中でも触れた通り、私にとってホスピタリティは人生を変えるきっかけとなったものです。グランドスタッフ業務に慣れてしまっていた頃に、サービス接遇教育のインストラクターを担当するようになり、そこで一から勉強をしたのがホスピタリティ、サービスです。マナー五原則を徹底して業務を行うようになると、いろいろなことが変化していき、接客も楽しくなり、人間関係もよい方向へ進んでいきました。ホスピタリティとの出会いがなければ、今の私はありません。そんな私の人生を変えてくれたホスピタリティを学生の皆さんや、特にサービス業初心者の若い世代の人たちへ伝えたいという思いで、本書を書き進めてきました。

日頃の授業で話をするのとは異なり、伝えたいことを文章化することに大変苦労しました。プレッシャーも大きく、自分にできるのだろうかと何度も不安になりました。

しかしいつもキラキラした目で一生懸命授業を受けてくれる学生の皆さんを見ると前に進むことができました。

本書では私自身がグランドスタッフの時に受けた教育や仲間から学んだことはもちろん、体験談を紹介しながらホスピタリティを伝えてまいりました。私が十四歳の時から、人としての心のあり方を教えてくださっている「M&Uスクール」学長の梅谷忠洋先生からの学びも本書に多く含めました。

特にサービス業に従事されている方は、私もそうだったように楽しくやりがいを感じることもある一方で悩まれることも多いと思います。できることはただ一つ、相手（お客さま）を変えようとせずに、自分が変わることだと私は思います。自分から相手へのアプローチ方法を変えることで必ず何かが変わっていきます。本書が読者の皆さんの背中を押すお手伝いができれば嬉しいです。

ホスピタリティと出会い、長年経ちましたが、自分といつも闘いながら心を磨き続けていくことが大切であると私は思います。仕事のみならず、人生においても大切なホスピタリティです。一人一人の中に既にあるホスピタリティを、本書を通してさらに磨きをかけて、皆さんやその周りの人たちが笑顔あふれる毎日を過ごすことができることを願っています。

また、本書の出版に際し全面的にサポートをしてくださいました名古屋外国語大学出版会編集長の大岩昌子先生、編集主任の金関ふき子さん、多くのアドバイスをしてくださいました同僚の根無一信先生、今泉ゼミ生の皆さんにこの場をお借りして厚く御礼申し上げます。

## 参考文献

梅谷忠洋『幸せに気づく〝3 days〟レッスン』ゴマブックス株式会社、二〇一一年
菊池康人『敬語再入門』講談社、二〇一〇年
日本マナー・プロトコール協会『マナー&プロトコールの基礎知識　第六版』日本マナー・プロトコール協会、二〇二二年
服部勝人『ホスピタリティ・マネジメント入門　第二版』丸善出版、二〇一三年

ホスピタリティを磨く20のレッスン

名古屋外大ワークス……NUFS WORKS 9

2024年3月15日　初版第1刷発行

著者　今泉景子　IMAIZUMI KEIKO

発行者　亀山郁夫

発行所　名古屋外国語大学出版会

470-0197　愛知県日進市岩崎町竹ノ山57番地

電話　0561-74-1111（代表）

https://nufs-up.jp

本文デザイン・組版・印刷・製本　株式会社荒川印刷

ISBN 978-4-908523-43-4